KB197931

돈은 필요하지만 사표를 냈어

Original Japanese title: ATARASHII MUSYOKU
Text copyright ⓒ 2017 by Tanno Miyuki
Original Janpanese edition published by Tababooks
Korean translation rights arranged with Tababooks
through The English Agency (Japan) Ltd. and Danny Hong Agency
Korean translation copyright ⓒ 2018 by JOURNEY TO KNOWLEDGE

단노 미유키 글
박제이 역

돈은 필요하지만 사표를 냈어

차례

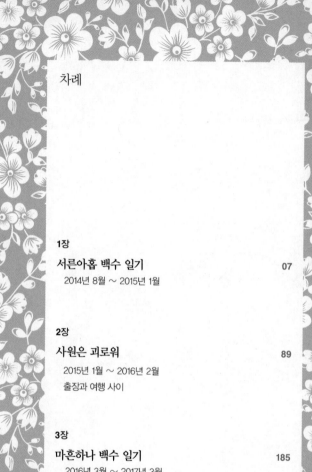

1장

서른아홉 백수 일기

2014년 8월 ~ 2015년 1월

8월 1일

　오늘부터 백수다. 그렇긴 하지만 어제까지 2주 정도 유급휴가를 받아 놓고 어디 여행도 안 가고 집에서 지냈으니 이미 몸은 충분히 풀었다. 오전에는 집안일을 하고 메일을 체크하고 이직 사이트를 보다가 점심을 먹고 오후에는 산책을 하거나 전철을 타거나, 외출을 한 후 집에 돌아와 저녁을 먹고 독서를 하다가 잠드는 '백수 리듬'이 몸에 뱄다. 하지만 오늘부터는 사회적 신분이 다르다. 설문조사 따위에 직업 기입란이 있다면 '무직'이라고 써야 하고, 사고가 나거나 무슨 짓을 저지르면 '단노 미유키(39세, 무직)'라고 보도되겠지. 정신이 번쩍 드네. 창피할 건 없지만 그렇다고 당당할 수도 없어서 신세 진 분들, 지인, 친구에게 계약 갱신이 되지 않아 퇴사하여 백수가 되었다는 소식을 머뭇머뭇 전하고 있다. SNS는 전혀 하지 않기에 메일을 보내거나 만나서 이야기한다. 걱정을 끼쳐드리고 싶지 않아서 부모님께는 비밀이다.

그런데 하필 지금 곤란한 일이 생겼다. 내가 사는 아파트가 외벽 공사를 한다고 한다. 중년의 독신이 평일 대낮에 직장에도 나가지 않고 집에만 있는 건, 그다지 좋은 일이 아니다. 집주인이 수상쩍어 할지도 모른다. 공사는 9월에나 끝난다. 어쩌면 좋지?

8월 XX일

아침 8시, 모르는 번호로 전화가 왔다. 받아보니 '감독님'이었다. 감독님은 친구 집을 리모델링해 준 기술자다. 리모델링 비용을 아끼려고 친구와 지인을 소집하여 페인트칠 등을 도우러 갔을 때 알게 되었다. 감독님의 용건은 어떤 작가의 자택인 양옥집을 수리하는데 돕지 않겠느냐는 것이었다. 어떤 집인지는 궁금했지만 마침 고향에 내려가는 날과 겹쳐서 거절했다.

8월 XX일

이력을 등록한 이직 사이트에서 '특별 제안' 이메일이 도착했다. 특별하다니, 평범하지 않은 제안이잖아! 어디일까? 두근두근하는 마음으로 메일을 열었는데 인근 택시 회사에서 온 스카우트 제안이었다. '어렵게 연락 주신 건 감사하지만 골드면허* 에 오토밖에는 못해서요.'라고 중얼거리며 메일을 삭제했다.

오늘은 야간버스로 고향에 가야 한다. '저녁에 니시신주쿠西新宿에서 축제가 열린대.' 모기モギ- 씨에게 문자가 왔다. 모기 씨 부부, 시노シノ 짱 부부와 버스 출발 시각까지 술을 마시기로 했다. 오모이데요코초思い出横町로 향했다.

---

* 일본 면허 등급 중 일정 기간 무사고를 유지한 우수 운전자에게 발급되는 면허

신주쿠에서 자라 현재는 니시오기쿠보西荻窪에 사는 시노 짱이 신주쿠라는 장소 탓인지 집 얘기를 시작했다. 시노 짱도 남편도 둘 다 비정규직이지만 언젠가 시노 짱 부모님의 병을 수발할 걸 고려해서 인생 설계를 하고 있다고. 시노 짱의 형제들은 집을 물려받지 않을 테니(부모님 댁에 살지 않을 테니) 아마도 시노 짱이 물려받을 거라고 했다. 시노 짱은 그 편이 부모님 집을 지킬 수 있으니 좋다고 했다.

모기 씨는 프리랜서 디자이너다. 사진작가의 작업실에서 일하는 아내, 그리고 늙은 고양이와 산다. 오사카에서 도쿄로 온 지 7년이 지났을 무렵, 원래 사진작가였던 모기 씨는 도쿄에 오자마자 들어간 편집 프로덕션에서 맹렬한 기세로 디자인 기술을 익혔다. 그리고 바로 디자인 프로덕션을 차려 독립했다. 현재 대형 출판사의 외주 디자이너로 활발하게 일하고 있다.

아내의 고용주인 사진작가가 꽤 잘나가는 모양이라고 했다. 최근에 선물로 받아온 도시락이 엄청났단다. "유명한 집에서 ○○님 전용으로 만든대. 가져온 건 갈릭 스테이크 도시락이었는데 말이야, 스테이크를 얹기만 한 게 아니라 밥에도 다진 스테이크가 섞여 있더라 니까." "그런 도시락이 있다니!" 우리는 일제히 수런거 렸다. "우리랑은 전혀 다른 세계가 있더라고." 모기 씨 는 말했다.

8월 XX일

　고향집 도착. 고속버스는 만석이었다. 덥기는 했지만 도호쿠東北의 여름은 에어컨 없이도 날 수 있다. 기분이 좋아서 꾸벅꾸벅 조는 동안 눈 깜박할 새에 하루가 끝나 버렸다. 고향집에는 여동생이 아이 세 명을 데리고 와서 아침도 낮도 밤도 활기찼다.

　부모님이 "회사는 다닐 만해? 올해는 휴가를 길게 받았네."라고 물어봤지만 "네."라고만 대답했다. 저녁을 먹은 후 여동생과 이온몰イオンモール*에 있는 영화관에 가서 〈겨울왕국〉을 봤다.

　머리칼을 노랗게 물들인 20대 남자 두 명이 극장 표 검사를 하고 있었다. 날마다 지루하게 일하고 있다는 느낌이 배어나온다. 손님은 7, 8명 정도로 중년뿐이다.

* 일본의 대형 쇼핑몰

집으로 돌아가는 길에 여동생이 "언니 내년에 마흔이
네!"란다. 새삼스럽게 왜 그래.

8월 XX일

집 근처 양로원에서 축제가 열린다고 한다. 엄마가 공연을 한다고 해서 여동생 가족과 보러 갔다. 입구에서 교환권을 받아서 포장마차 앞에 줄을 섰다. 그걸로 먹을 것과 마실 것을 받았다. 양로원 입소자의 관계자 외에 근처 주민들도 놀러와 활기가 넘쳤다. 무대에 서기 전에 "할머니~!" 하고 달려가 안기는 조카들. 다른 출연자에게 달려가 안기는 친척은 보이지 않는다.

무대를 배경으로 무용 의상을 입은 엄마, 여동생 가족과 기념사진을 찍는다. 각 단체가 춤을 선보인 후 피날레는 직원들이 마련한 불꽃놀이가 장식했다. 'Let it go~' 하는 노래의 후렴구에 맞춰서 불꽃이 팡, 하고 터진다. 직원 중에 초등학교 동창이 있어서 여동생은 잠시 동창과 담소를 나누었다.

나는 조카들을 돌봤다. 그러고 보니 내가 알고 지내는 동창 중에는 고향에서 일하는 사람이 없다. 축제는 8시에 끝났다.

8월 XX일

    증조부모 대부터 친하게 지낸 생선 가게에서 선물로 받은 연어 자반과 함께 도쿄로 돌아왔다. 고향집에 백중 선물로 들어온 소면과 통조림, 대파, 호박 같은 식재료는 택배로 받기로 했다. 퇴사한 후 매일 집에서 끼니를 해결하므로 이런 식재료 지원은 중요하다.

    도쿄로 돌아가는 길, 버스로 갈아타려고 뛰어가면서 센다이 다나바타七夕[•] 축제를 보았다. 한 15년 만인가? 낮에 탄 고속버스는 고속도로가 막혀서 한 시간 가까이 늦게 도착했다. 좌석이 앞쪽이라 오는 내내 운전기사 아저씨의 초조함을 고스란히 느꼈다. 수고 많으십니다. 집에 돌아오자 퇴직증명원이 도착해 있었다.

• 칠석. 일본의 명절 중 하나. 센다이의 다나바타 축제가 유명하다.

8월의 3분의 1이 지난 날

퇴직증명원을 들고 헬로워크Hello Work*로 갔다. 접수
를 마치자 준비해야 할 서류와 다음 방문일 등에 대한
설명을 들었다. 서류를 기입할 필기구가 처량했다. 몽
당연필과 나오지 않는 볼펜이 두어 개 굴러다니고 있
다. 가지고 있던 볼펜으로 이것저것 기입한다. 직무 경
력을 쓸 때 약간 힘들었다. 요새 이력서 쓰기에 시달렸
기 때문이다. 퇴사하기 전에 세 곳에 응모했는데 쓰라
는 게 엄청나게 많았다. 한 회사는 자기네 서식을 다운
로드해서 기입하는 방식이었는데 질문사항만 거의 열
개였다. 글자 수를 세어보니 약 8,000자 정도였다. 회
사에서 일하고 집으로 돌아와 서류를 적고 퇴고하는 데

* 일본 정부가 운영하는 고용 소개 기관. 우리의 고용지원센터와 비슷한 역할
  을 한다.

일주일이 걸렸다. 그걸 또 손 글씨로 옮겨 적는 데만 하루 종일 걸렸다. 손으로 적을 때 오탈자가 안 생기려면 엄청난 집중력이 필요하다. 두 번째 회사는 이력서와 직무경력서 서식은 자유였는데 주어진 주제로 1,600자 정도의 작문을 써야 했다. 회사를 오갈 때나 점심시간에 내용을 조금씩 생각해서 주말에 일단 데이터로 정리한 후에 다음날 옮겨 적었다. 세 번째 회사는 서식 없이 이력서와 직무경력서만 우편으로 보내면 되었다. 작문이 없는 만큼 지망 동기에 온 의욕을 쏟아 부었다. 모두 서류 심사에서 떨어졌다.

세 회사 모두 인터넷 접수를 받는데도 손으로 쓴 서류를 제출해야 했다. 이직 사이트에서 직접 응모하는 경우에도(사전에 경력 등을 자세하게 등록해야만 한다) 이력서는 다시 손으로 써서 우편으로 보내야 한다. 아아, 이제 정말 그만 쓰고 싶다아~.

8월 XX일

오늘도 야간버스에 오른다. 타바북스 미야카와宮川
씨의 본오도리盆踊り* 취재를 따라서 나라奈良의 도쓰카
와무라十津川村에 가기 위해서다.

나라로 가는 야간버스 표를 못 끊어서 오사카 덴노
지天王寺로 가는 버스로 간사이関西에 입성하기로. 버스
는 만석. 소등 후, 옆 자리에 앉은 여자가 트랜스 음악
같은 것을 들으며 스마트폰을 만지작거리기를 한 시간.
이어폰에서 소리가 계속 새어 나와서 '소리 좀 줄여 주
세요.'라고 보디랭귀지로 주의를 주자 정적이 찾아왔
다. 그대로 곯아떨어졌다.

---

* 일본 최대의 명절 중 하나인 오본お盆에 추는 전통 윤무

8월 XX일

야간버스에서 내린 후 긴데쓰센近鉄線으로 갈아타고 약속 장소인 가시하라진구마에橿原神宮前역으로 갔다. 시간적 여유가 있어서 가시하라진구에 들어가 기도하기로 했다. 최근 지인 여성 두 명이 실직을 해서 행운을 빌었다. 우리에게도 진무경기神武景気*가 오기를!

미야카와 씨 일행과 합류하여 차 두 대에 나눠 타고 목적지로 향했다. 차는 엄청나게 많은 커브를 돌아 험준한 산길을 달린 끝에 도쓰카와무라에 도착했다.

나는 장롱면허라서 미야카와 씨가 운전해 주었는데 익숙하지 않은 데다 길이 스릴 만점이었기에 신경을 꽤 소모한 모양이었다. 그런데 나는 커브에 맞춰 몸을 흔

* 일본의 고도 경제 성장의 시작인 1954년 12월부터 1957년 6월까지 발생한 호황기를 이르는 말

들며 살풋 잠이 들고 말았다. 도움이 못 돼 죄송한 마음이었다.

이번에 취재할 본오도리는 무형문화재로도 지정되었고 역사가 꽤 길다고 한다. 공연장은 예전에 초등학교였던 폐교 건물인데 오사카시립대학의 나카가와中川 교수를 주축으로 매년 합숙하면서 설치 운영을 돕고 있다고 한다. 잠은 초등학교에서 걸으면 바로 앞에 있는 집합소에서 잔다고 했다. 집합소는 재학생과 선후배들로 붐볐다.

8월 XX일

    쾌청하다. 아침을 먹은 후 회장 설치를 돕기 위해 교정으로 향했다. 한 남자가 밀대로 물을 쓸어서 빼내고 있었다. 이 지역 청년들은 멋들어진 폼으로 말뚝을 박았고 학생과 여자들은 장식을 했다. 회장 설치는 힘쓸 일이 많아서 남자 일손이 많이 필요했다. 올해는 유독 일손이 많이 모였다고 한다.

    청소와 장식은 약 두 시간 만에 끝났다. 점심은 오사카에서 카페를 운영한다는 여성 분이 만든 카레였다. 정말 맛있었다. 오후 4시까지는 자유시간이라고 해서 근처의 작은 폭포에 갔다. 본오도리는 7시부터 시작되었다. 하늘도 어둡고 산도 어둡고 집들도 어두운 가운데, 그곳만이 희부옇게 밝았다. 환상적인 풍경이었다. 옛날이야기의 세계에 들어온 것만 같았다. 이 지역에

사는 아저씨에 의하면 90년대까지는 새벽 4까지 춤을
추며 밤을 새웠다고 한다.

북 치는 아저씨는 "북이 산에 부딪혀 울리는 소리는
참 좋다니까. 둥, 둥, 둥. 너무 좋아."라고 말했다. 2014
년은 새벽 2시에 끝났다.

8월 패전기념일

도쓰카와무라에서 도쿄로 돌아가는 날. 제등 정리, 묵었던 집회소 청소, 현재 자료관이 된 초등학교 교사 견학 등을 한 후 나카가와 교수의 인사를 끝으로 해산했다. 이끼에 무성하게 뒤덮인 나무와 돌담이 우뚝 솟은 산봉우리들에 빙 둘러 있는 풍경을 다시금 둘러보더니 "일본의 마추픽추라더니 정말이네."라고 말하는 미야카와 씨. 지도를 못 읽는 나 때문에 자칫 오사카로 갈 뻔했지만 가시하라진구에 무사히 도착. 백수의 주머니 사정으로 보자면 사치지만 시간을 때우는 동안 드는 돈과 식사 비용 등을 생각하니 큰 차이가 없었기에 신칸센을 타고 도쿄로 돌아가기로 했다.

8월 XX일

오전에 치과에 갔다. 도쓰카와무라 축제의 가경과 함께, 웬일인지 부분의치가 빠져 버려서 붙이러 갔다. 치과의사가 "토대가 되는 이에 금이 가거나 깨져 있으면 못 쓰게 되는데 이상이 없어서 다행이네요."라고 했다. 건강보험이 적용되는 의치와 그렇지 않은 것은 사용 연수나 착용감 등에서 차이가 크므로 의치만큼은 비보험의 길을 걸어왔건만, 백수인 지금은 보험이 적용 안 되는 치료는 타격이 크다. 큰돈이 나가지 않아 정말 다행이다.

8월 XX일

　헬로워크의 직업 강습회에 참여했다. 회장은 80명 정도가 모여 바글바글했다. 20대로 보이는 여성이 많다. 유동 고용*의 여파가 여기에! 그 후에 마더스 헬로워크에도 가 보았다. 사람이 별로 없었다. 당연하지만 여성뿐이다. 전단지가 눈에 딱 들어오는 레이아웃으로 배치되어 있었고, 테이블과 의자가 여유롭게 놓여 있어서 편하게 시간을 보냈다.

* 인재가 한 곳에 쏠리는 것을 막기 위해 성장 가능성이 있는 중소기업으로 인재 이동을 장려하는 일본 정부의 고용 방침

8월 XX일

치과에 갔다. 오늘은 정기검진이다. 충치 같은 게 있으면 또 치료비가 들겠구나 하고 걱정했는데 치료해야하는 이는 없다고 한다. 휴우.

8월의 3분의 2가 지난 날

밤에 친구들과 술자리가 있었다. 이래저래 10년 이상 알고 지낸 디자이너 소에 씨, 10년도 전에 P사에 다닐 때 알게 된 무기 군과 마시는 자리다. 앉자마자 무기 군이 "저 결혼합니다!" 하고 외친다. "뭐?" 하고 눈을 동그랗게 뜨고 있는데 곧바로 소에 씨도 "저도 결혼했어요!"란다. 나를 격려하려는 모임이 어느 샌가 결혼 축하 자리로 변했다. 나까지 결혼하는 듯한 착각을 느꼈지만 그럴 일은 없다.

무기 군은 내년에 아이가 태어나는데, 그 두 달 후가 지금 회사의 계약 만료란다. 아내도 프리랜서 인테리어 디자이너라 수입은 안정적이지 않다고 했다. 하지만 심각한 기색 없이 "뭐든 해야죠. 자식이 있으니까."라며 연신 싱글벙글. 착한 녀석이다!

디자이너 소에 씨도 프리랜서다. 예전에 내가 재계약이 되지 않았다고 이야기했을 때 "나도 이런 일을 하니까 언젠가는 일이 줄어드는 날이 오고 그러다 없어질 것도 각오하고 있어. 이제 그렇게 되면 청소 알바라도 해야지, 뭐."라고 시원스레 말했다.

퇴사가 결정된 후 우선 머리에 떠오른 건 월세였다. 주거 문제는 크다. 두 사람은 모두 파트너와 함께 아파트에서 월세로 살고 있고 고향집은 수도권에 있다. 파트너도, 수도권에 집도 없는 나는 월세를 내지 못하는 상황이 닥친다면 지금껏 해온 일과 경력을 내세운 구직조차 할 수 없게 된다. 월세는 이 세상의 자릿세인가? 아무튼 오늘은 축하하자.

8월 XX일

　헬로워크에서 고용보험 설명회가 있었다. 회장은 100명은 족히 되어 보이는 사람으로 꽉 차 있었다. 남녀가 반반 정도였고 연령대는 20~50대가 고루 있었다.

　샌들을 신고 리조트에나 어울릴 것 같은 아저씨와 청년, 한껏 치장한 젊은 여자 등이 섞여 있었는데 복장 탓인지 밝은 분위기다. 일과 관련된 장소인데 일 같은 느낌이 전혀 안 드는 게 신기했다. 고용보험, 실업급여 등에 관해 40분간 DVD를 보고 나서 직원의 설명을 들었다.

　여기에 있는 100명의 공통점은 백수라는 거구나, 생각하며 멍하니 회장을 둘러보았다. 댁은 무슨 사정이 있나요? 각자의 사정을 술안주 삼아 다 함께 술잔이라도 기울이러 가고 싶다. 하지만 당연히 저마다 긴장감은 달라서 진지하게 메모를 하는 사람이 있는가 하면 조는 사람, 백수 커플(아니면 어느 한쪽을 따라온 건가), 장보러 가는 길에 들른 사람 등이 여기저기 보인다. 설명회가 끝나자 일제히 말없이 회장을 나간다. 근처 카페에 들렀다가 회장에서 본 여성을 보았다. 수고하셨습니다. 마치 동료에게 하듯 마음속으로 인사한 후 밀크티를 주문했다.

8월 XX일

친구인 고타ゴータ가 나가레야마流山시의 불꽃놀이에
가자고 했다. 백수라 한가하다는 게 알려진 건지 나오
라는 연락이 잦아졌다. 기쁘다. 도쓰카와무라에서 입었
던 유카타를 입고 갔다. 고타의 아내가 가련한 유카타
차림으로 맞이해 주었고 시노 짱 부부도 합류했다. 불
꽃놀이는 저녁 7시부터 시작된다. 약 15분 전에 강둑에
도착해서 돗자리를 깔고 맥주로 건배했다. 며칠 전에
깎았다는 풀에서 풋내가 훅 일었다. 실없는 대화가 끊
기지 않는다. 하늘에는 별이 반짝인다. 행복하다. 뒤늦
게 시로シロ 군 부부가 합류했다. 적당한 바람 덕에 한
시간 반 동안 불꽃놀이는 아름다운 밤하늘을 수놓았다.
고타가 준비한 프로급 안주를 먹고 아쉬운 마음으로 발
길을 돌렸다. 부부 두 쌍은 근처에서 묵기로 했지만, 나

는 내일 가스 급탕기를 점검하러 오기로 했기에 돌아가
야 한다. 퇴사한 후 아파트 공사며 수리가 많아진 것 같
은데 기분 탓일까? 집으로 돌아가는 길, 도쿄메트로東京
メトロ를 탔는데 도쓰카와무라에서 함께했던 가토 지아
키かとう ちあき 씨와 딱 마주쳤다. 오늘은 히비야日比谷에
서 본오도리를 추고 왔다고 한다. 분수 주변을 빙글빙
글 돌며 추는 춤인데 그것 또한 좋은 그림이었으리라.
도쿄온도東京音頭*의 지역차 등에 대한 이야기를 듣다가
전철에서 내렸다.

* 본오도리의 배경음악으로 유명한 일본의 민요조 유행가

8월 XX일

　오전에 가스 기사가 방문했다. 설치한 지 12년 이상 지나서 상태가 나빠졌을 가능성이 크다고 했다. 집주인에게 어떤 연락이 오느냐에 따라 교체할 수도 있다.

　대낮부터 기치조지吉祥寺로 연주회를 보러 갔다. 지인인 뮤지션이 CD를 낸 기념으로 하는 라이브 공연이다. 멤버는 간사이와 간토関東에 뿔뿔이 흩어져 살고, 각자 일을 한다. 보육원에서 근무하는 료リョウ 군은 도쿄에 살고 경비원인 굿치グッチ 씨는 오사카에서, 가전 제조회사에 근무하는 마루マル 씨는 도치기栃木에서 근무한다. 멤버가 각지에 흩어져 있기에 전원이 모이는 날은 휴일뿐이다. 멤버와 오래 알고 지낸 모기 씨를 비롯해 다양한 친구들이 모였다. 연주가 끝난 후 CD를 사고 근황 등을 이야기하며 담소를 나눴다. 앨범의 곡 중에는 공

원에서 녹음한 곡도 있었는데, 그때의 상황이 재킷 뒷면 사진이라는 얘기를 들었다. 재킷 디자인은 굿치 씨가 했다고. 뒤풀이에 함께해서는 잔뜩 필을 받아 노래방에 갔다. 도쿄에 올라온 굿치 씨를 위해 〈도쿄는 밤 7시〉라는 곡을 바쳤다. 마루 씨는 신칸센 막차를 타고 도치기로 돌아갔다.

8월 XX일

    송별회. 예전에 다닌 A사의 잡지 편집부에서 신세를 진 고이케コイケ 씨가 퇴직, 오치オオチ 씨가 지국으로 이동한다고 한다. 잡지 휴간 후, 편집부 사람들과는 1년에 한번 정도 동창회를 열고 있다. 올해도 모두 잘 지내는 모양이었다. 특히 DTP* 회사를 경영하는 다카タカ 씨는 "잘돼요. 연매출은 1억 엔 정도예요."라고 자신 있게 말했다. 일도 개인사도 모두 순조로워 보였다. 한 5년 만에 만난 가와나카カワナカ 씨가 "음, 다들 하나도 안 변했네요."라고 말했는데 변하지 않은 건 가와나카 씨도 마찬가지였다.

    백수는 나뿐이었지만 고이케 씨도 퇴직 후 일할 곳이

---

* Desk Top Publishing의 약자로 개인용 컴퓨터와 주변기기를 이용하여 출판을 하는 탁상출판을 일컫는 말

정해지지 않아서 다음 달부터는 나와 같은 신세가 된다
고 한다. 고이케 씨, 오치 씨 등과 2차를 갔다. 밤늦게
귀가했다.

9월 1일

   헬로워크에 갔다. 오늘은 첫 인정일認定日.[*] "일은 안 하고 계시네요?"라는 물음이 아직은 묘한 느낌이다. 하지만 일하지 않으니 "네, 무직입니다."라고 답한다. 이 역시 묘한 느낌이다.

[*] 일본에서 실업급여를 받기 위해 구직 활동을 하고 있다는 인정을 받기 위한 날

9월 XX일

　최근 계속 비가 내려서 아파트 외벽 공사가 조금 연장된다는 공지가 있었는데 오늘로 끝난 모양이다. 장을 보고 돌아오니 비계飛階가 철거되어 있었다. 커튼 너머로 느끼던 어렴풋한 죄책감과 긴장, 잘 가~. 오늘은 평소에 가지 않는 길에 있는 마트에 가 보았는데 물건이 많고 쌌다. 다만 계산대가 기계에 돈을 직접 넣는 방식이라 왠지 먹이 주는 것 같았다. 익숙해지면 괜찮겠지.

9월 XX일

   친구의 밴드 투어를 따라 미에三重·오카야마岡山·고베神戸에 가기로 했다. 거기에 사진가 자와ザワ 씨, 공예 작가인 메이코メイコ, 일러스트레이터인 아오アオ 짱이 동행했다. 아무것도 만들지 않는 나는 굿즈 판매를 돕기로 했다.

   미에의 공연장은 카페였는데 30명 정도의 손님이 모였다. CD 외에도 티셔츠, 팸플릿, 배지, 손수건 등의 투어 굿즈를 진열했다. 의외로 2,000 엔짜리 종이로 만든 꼭두각시 인형이 여러 개 팔렸다. 밴드 관련 굿즈 말고도 메이코가 만든 귀걸이 등의 액세서리도 몇 개 팔렸고, 아오 짱의 초상화 그리기에도 손님이 줄을 섰다. 사는 사람은 오래 고민하지 않고 산다.

9월 XX일

투어 이틀째. 오카야마에서 시가 주최하는 이벤트에 참가했다. CD가 잘 나가서 매출이 3만 엔을 넘었다. 여기에서도 종이로 만든 꼭두각시 인형이 몇 개 팔려나가서 재고가 달랑 두 개만 남았다.

나는 절대 사지 않을 물건이 줄줄이 팔려나간다. 이게 다양성인가? 연주가 끝난 후 주최자가 준비해 준 술집에서 뒤풀이가 있었다. 그 지역에 사는 끼 많은 젊은 이들이 노래방 기계로 노래 솜씨를 뽐냈다. 죄다 화면을 보지 않고 눈을 감고 불렀다. 그것만으로도 놀랄 노자인데 가오게이顔芸* 같은 잔재주도 선보인다. 매일 밤 머리를 쥐어짜며 구상했을 개인기를 보고 있자니 마치 고로케**의 무대를 보는 것 같다.

* 얼굴로 웃기는 개인기
** 일본의 코미디언. 성대모사에 능함

청년들은 고향에서 나고 자라 계속 이곳에 살면서 가업을 잇고 있다고 한다. 부모님이 하시는 우동집에서 일하는 청년은 하루에 한 시간만 일한다고 했다. 아침 7시에 문을 열지만 한 시간만에 문을 닫는다고 한다. 재료가 순식간에 동나기 때문이라고.

9월 XX일

투어 사흘째. 고베는 페스티벌에 참가하려고 들렀
다. 공연장 스태프가 굿즈 판매를 도맡아 준다고 해서
나는 공연장을 둘러보기로 했다. 원래 생사生絲 공장이
었다는 공연장 안을 마음 가는 대로 걷다가 오사카에
사는 친구, 굿치 씨를 만났다. 지난주에 보고 또 만나
는 거라 둘 다 박장대소한다. 굿치 씨는 고베에 볼일이
있어서 우연히 앞을 지나다가 재미있어 보여서 들어왔
다고 한다.

운이 따르는 사람은 어딜 가든 따르는 법이다. 페스
티벌이 끝난 후 밴드는 뒤풀이하러 가고 자와 씨, 메이
코, 아오 짱, 나 네 명은 최근에 고베로 전근 온 친구
를 불러서 술집에 갔다. 그녀가 일하는 회사는 2, 3년마
다 전근, 파견 근무 같은 이동이 많다. 도쿄에 있을 때

와 비교해서 하는 일의 범위가 넓어졌고 출세도 했기에
"이래저래 바빠졌어."라며 곤란한 듯 웃는다.

9월 XX일

  자와 씨, 메이코 두 사람은 다시 오카야마로 갔다. 반
년 정도 오카야마에서 살 집을 찾고 있었는데 드디어
좋은 물건이 나온 모양이라 집주인을 만나러 갔다.

  아오 짱도 두 사람과 동행했다. 산노미야三宮역 근처
에서 모두와 헤어져 나는 예전부터 가고 싶었던 교토의
카페에 들렀다가 도쿄로 돌아가기로 했다. 내일은 니가
타新潟다.

9월 XX일

몇 년 전부터 좋다는 얘기를 들었던 니가타현 오지야小千谷시의 불꽃놀이를 보러 갔다. 시노 짱 부부가 운전을 해 주었다. 곤コン 군 가족도 차를 달려 함께 향한다. 추월 차선에서 손을 흔들기도 하면서 신나게 오지야시로! 이미 여러 번 간 적이 있어서 지역 사람들과 친한 시노 짱이 짠 황금 코스를 따라 드라이브를 하고, 술집에 가고, 쇼핑 등을 하며 불꽃놀이가 시작되기까지 시간을 보냈다. 도시에서 자란 시노 짱은 오본이나 정월의 귀성을 동경했다고 한다. 그래서 여름을 이렇게 보낼 곳이 생겨 무척 기쁘다고 했다.

9월의 3분의 1이 지난 날

오카모토 아키히코岡本 昭彦전을 보러 도쿄도사진미
술관에 갔다. 상품권 판매소에서 입장권을 싸게 팔기에
사자마자 보러 갔다. 마침 학예사의 설명이 시작되려고
했다. 서둘러 참가했다. 그런데 이 학예사, 가네코 류이
치金子 隆一 씨가 설명을 무척이나 잘하는 거다. 부드러
운 목소리와 귀에 쏙쏙 들어오는 말투에 이끌려 마지막
까지 푹 빠져서 들었다. 그는 28년 간 근무하고 퇴직을
앞두고 있다고 한다. 그래서 설명하는 것도 오늘이 마
지막이라고 했다. 사진미술관의 전단지 디자인을 하는
모기 씨에게 연락하자 "가네코 씨의 설명을 듣기 위해
서 멀리서 오는 사람도 있어. 나도 듣고 싶었는데!"라는
대답이 왔다. 지금 백수인 사람만의 행운이야.

9월 XX일

　오랜만에 시나가와品川에 갔다. '엄청나다'는 평가를
받는 건축 현장을 보러 갔다. 말 그대로 진짜 엄청났다.
이렇게 심장이 두근거리는 건축 현장이 있었다니!

　기왕 외출한 김에 외식을 할까도 생각했지만 돌아와
집에서 먹었다. 집에서 밥하는 게 슬슬 궤도에 올라 식
재료를 낭비하지 않고 다 먹어치우게 되어 나름 뿌듯해
하고 있기 때문이다. 회사에 다닐 때는 야근이 많아서
사 둔 채소를 썩히거나 남기기 일쑤였고, 냉동한 반찬
과 빵만 늘어서서 냉장고가 좀처럼 깔끔하지 않았는데
요 몇달은 좋은 순환이 이어지고 있다.

9월 XX일

　예전에 아르바이트를 했던 회사의 상사인 니시ニシ 씨에게 전화가 왔다. 내일 바쁘지 않다면 도와주었으면 하는 일이 있다고 했다. 안 바쁘다고 대답했다.

9월 XX일

니시 씨를 도와주러 갔다. 급히 교정 볼 일이 있다고 했다. 다른 교정자들과 함께 작업하고 있는데 "혹시……." 하고 누군가 말을 건다. 10년도 전, 내가 아르바이트를 할 때도 있었던 분이었다. 이름이 생각나지 않아서 웃는 얼굴로 눙쳤다. 나중에 니시 씨에게 물어보았다.

9월 XX일

니시 씨 일은 두 시간 정도 만에 끝났다. 피오나 탄
Fiona Tan전을 보러 도쿄도사진미술관에 갔는데 지인이
있었다. 쓰나시마綱島에서 열린 야마시타 히카루山下陽
光 씨의 결혼식 이후 처음이었는데 잘 지내는 것 같아
보여 마음이 놓였다.

9월의 3분의 2가 지난 날

　니시코쿠분지西国分寺 홀에 갔다. 미에·오카야마·고베를 돌았던 친구의 밴드 투어 마지막 날이다. 친구, 지인 대부분이 제작 스태프로 참여하는 콘서트의 관객이 되어 보았다. 굿즈는 시로 군이 팔고 있었다. 전체적으로 재고가 줄었다. 괜히 꼭두각시 인형 재고가 신경이 쓰여서 살펴보니 두 개가 남아 있었다. 다 팔렸으려나.

9월 XX일

여전히 이직 사이트를 보는 나날을 보낸다. 이거다 싶은 일이 좀처럼 보이지 않아 헬로워크의 상담 창구로 향했다. 하지만 역시 없었다. 헬로워크를 나오자 50대로 보이는 정장 차림의 여자가 "저기요……." 하고 말을 걸어왔다. 길 잃은 사람이 자주 말을 걸곤 하는지라 발걸음이 절로 멈췄다. 여자는 "일을 구하는 사람을 찾고 있어요."라고 말했다. 앗 이건? 헬로워크 입구 바로 앞에 주의하라는 포스트가 붙었던 거잖아! 여자는 "혹시 보험 일에 관심 없어요?"라고 말을 걸어왔다. 결국 마주치고 말았네, 하고 쓴 미소를 지으며 지나치자 여자는 자신의 사냥 영역으로 돌아갔다.

9월 XX일

직종을 넓혀 보기 위해 다시 헬로워크 상담 창구로 갔다. 으음, 상당히 어렵다. 지난번처럼 보험 일을 권유받을까봐 다른 방향으로 걸어갔는데 그 여자가 기다리고 있었다. 이번에도 말을 걸어왔지만 무시했다. 기분 전환을 하고 싶어서 돌아가는 길에 구제옷 매장에 들렀다. 수백 엔짜리부터 수만 엔짜리까지 취급하는, 헌책방 계열사인 구제 매장이다. 매장 안을 어슬렁거리며 수백 엔짜리 옷을 보고 있자니 '아아, 미국이 되었구나.' 하는 생각이 들었다. 고등학교 때 읽던 패션 잡지에서 멋쟁이 여자 뮤지션이 "옷은 미국 투어 갈 때 스리프트 숍thrift shop(무척 값싼 중고품 가게였던 것으로 기억한다)에서 사요. 이 티셔츠랑 아래 합쳐서 일본 엔으로 몇백 엔밖에 안 한다니까요."라는 글을 읽은 게 기억나서였다.

9월 XX일

헬로워크의 두 번째 인정일이다. 9시까지 접수를 마쳐야 해서 오랜만에 혼잡한 통근 전철을 탔다. 이리저리 뒤엉킨 채 전철에서 내렸다. 하지만 역에서 헬로워크까지 가는 길을 걷는 사람은 나 혼자뿐인 듯했다. 접수대에 도착하자 나와 인정 스케줄이 같은 사람이 이미 잔뜩 모여 있어서 잠자코 기다렸다. 여자가 약간 많다. 그리고 20~30대가 많다. 30분 정도 지나자 내 이름이 불렸다. 새로운 서류를 받아들자 종료. 그 많던 사람이 순식간에 뿔뿔이 흩어졌다.

9월 XX일

얼마 전에 고용 계약이 만료된 고이케 씨와 저녁을
먹었다. 다음 주에 헬로워크에 접수하러 간다고 했다.
살고 있는 연립주택 1층에 집주인이 살고 있어서 "혹시
집에만 있는 게 들킬까 봐 숨을 죽이며 살고 있어."라고
말하는 고이케 씨. 안네 프랑크야? 함께 백수 생활을
청산하자며 서로의 건투를 빌고 헤어졌다.

10월 1일

　역시 이번 달도 백수 신세다. 지금까지는 내가 몇 살인지 이따금 잊어 버렸지만 이 일기를 쓰기 시작한 후로는 '서른아홉 백수'에 반응하게 된다. 라디오나 TV를 틀어 놓으면 의외로 많다. 서른아홉 살 백수들이. 대부분 용의자나 범인이지만 이따금 시청자 참여 퀴즈 같은 방송에 밝은 모습으로 나오는 서른아홉의 백수를 보면 "백수인 사람도 저렇게 밝게 살아도 되는구나." 하고 용기를 얻기도 한다.

10월 XX일

　10월인데도 최고기온 30도를 넘긴 가운데 모 회사의 기업 설명회에 다녀왔다. 장소는 시부야에 있는 본사였다. 외관은 흔히 볼 수 있는 철과 유리로 만든 고층 빌딩인데 들어가서 깜짝 놀랐다. 로비는 마치 미술관 같았고, 회의 공간 겸 사내 식당은 편안한 분위기가 감도는 멋진 카페 같았다. 차 한잔 하고 가고 싶다. 설명회가 열리는 회의실까지 안내받는 동안, 안내를 하는 사원 분들은 한 사람 한 사람 밝고 정중하게 인사를 건넸다. 엘리베이터에서 내릴 때도 젊은 분이 고개 숙여 인사하며 배웅을 해 주어서 마치 호텔에서처럼 환대받는 느낌이었다.

10월 XX일

이직 사이트에서 특별 제안 메일이 와 있었다. 택시 회사였다. 이래서 기계는 믿을 수 없다니까.

10월 XX일

대형 태풍이 상륙한 가운데, 날씨의 변화를 살펴가며 친구인 나쓰ナツ 씨와 하코네에 갔다.

나쓰 씨는 퇴사한 지 한 달도 안 되어 다음 직장을 찾았는데 이직 사이트의 후기 덕을 톡톡히 봤다고 한다. 당장 돈이 없으니 빨리 일을 찾을 수밖에 없었다.

일로 좋아하는 것을 하려는 생각은 없다고 딱 잘라 말하는 나쓰 씨. 이번에 이직할 때는 조건을 더욱 명확히 설정해서 찾았다고 한다. 이전 직장에는 별난 사람이 많아서 그 스트레스도 심한 데다 업무량도 많아서 몸이 많이 상했지만 지금 직장은 사람들도 상식적이고 근무 시간도 편하게 느껴진다고 했다.

당분간 백수로 지낼 것 같은 내게 추천 사이트를 알려 주고 응원도 해 주었다. 이 날은 마침 나쓰 씨의 생일이라 고케시小芥子*무늬가 들어간 손수건을 선물했다.
기뻐해 주었다.

* 일본 여자아이 모양을 한 원통형 목각 전통인형

10월 XX일

PC가 고장 나고 말았다. 고객 센터에 예약을 넣고 오래 기다린 끝에 서비스 센터에 PC를 들고 가니 수리하는 데 4만 엔(세금 포함)이 든다고 했다. 지금 PC 없이는 구직이 거의 불가능하다. 고민한 끝에 나중에 쓸 일도 생각해서 아예 새로 사기로 했다. 결국 10만 엔 가까이 나갔다. 그 바람에 가계에 극심한 타격을 입었다. 새로운 PC로 나쓰 씨가 가르쳐 준 이직 사이트를 둘러보았다.

10월 XX일

친구가 졸업한 사립 중고일관교*의 30주년 기념 축제에 오지 않겠느냐고 해서 다녀왔다. 사이타마埼玉현의 산속에 있는 학교라 역에서 스쿨버스를 타고 향한다. 마치 마을 축제 같았다. 축제가 끝난 6시경 휴대전화가 울렸다. 조만간 2차 면접을 봤으면 좋겠다는 연락이었다. 전화한 사람은 1차 면접 때 있던 총무부 소속의 젊은 남자였다. 가능하다면 내일 보고 싶다고 하기에, 너무 갑작스럽다고 대답하자 '취직은 결혼 같은 거다. 그리고 결혼은 계약이다. 그러니 이미 입사한 후에야 아니다 싶어지면 계약 위반이나 다름없다. 그러니 서로를 더 잘 알아두어야 한다.'는 취지의 말을 했다. 헉, 결혼이라니? 말도 안 되는 소리. 비즈니스 자기 계

* 일본에서 중·고교 6년 과정을 하나로 묶어 교육하는 학교

발서를 너무 많이 읽은 거 아니야? 기분 나빠. 캄캄한 길을 달리는 스쿨버스 속에서 연신 소름이 돋았다. 면접은 모레 보기로 했다.

10월 XX일

2차 면접일. 카페 같은 사내 식당까지 마중 나온 사람은 1차 면접 때 끝자리에 앉아 있던 젊은 여자 둘이었다. 총무부 남자는 보이지 않았다. 눈이 길게 찢어진 여자가 먼저 말을 꺼냈다. "이번에 우리 회사에서는 책과 가전제품을 묶어서 판매하려고 해요. 매대를 만든 후 본인이 직접 판매도 할 수 있는 인재를 원해요." 둘은 그 인재를 총괄하는 역할이라고 했다. "편하게 이야기 나누면 좋겠어요." 하며 미소 짓는 그녀들의 복장은 정장을 입었던 지난번과 다르게 캐주얼한 느낌이었다. '우리가 당신과 함께 일할 동료예요.'라는 메시지이리라. 눈이 처진 여자가 싱글벙글 웃는다. 어떤 매대를 만들어야 독창적이라고 생각하는가? 평소 어떤 소비를 하는가? 따위의 질문을 받았다. 30분 정도가 지나고 이야기가 슬슬 끝나가는 시점에 담당자는 얼굴과 이름이 매체에 나가게 되는데 괜찮은지 물었다. 나는 편집자라는 업무 특성상 줄곧 무대 뒤에서 일해 왔기에 직접 무대로 나서는 일은 당황스럽고, 성격과도 맞지 않는다고 답했다. 그녀들은 생글거리는 얼굴로 나의 거부 의사를 받아들여 주었다.

10월 XX일

    나쓰 씨가 가르쳐 준 이직 사이트를 보다가 전 회사의 구인 광고를 발견했다. 어라? 모집 요강이 궁금해 클릭하자 나를 괴롭혔던 H씨가 웃는 얼굴로 등장했다. H씨는 과거에도 상사라는 지위를 이용해 여러 여사원을 괴롭힌 적이 있다고 했다. 그것은 그 회사에서는 일종의 풍습이 되어 버린 모양이라 내가 그 부서에 가게 되었을 때 주변 사람들이 무척이나 걱정했었다. 그렇게 나도 괴롭힘을 당했다. 괴롭힘을 당한 여사원들은 이유는 알 수 없지만 모두 퇴사했다. 나는 재계약이 되지 않아서 퇴사했다. 이 화면을 보니 H씨는 지금도 잘 다니는 모양이다. 그야 그렇겠지. 명예훼손으로 고소당해도 모자랄 짓을 했는데도 강등 처분은커녕 시말서도 없이 번번이 주의만 받고 끝났으니까.

10월 XX일

　매일 열심히 마○나비[*]를 본다. 연봉과 직무 내용 등
조건이 맞는 회사가 있어서 이력서를 보냈더니 면접을
보자고 연락이 왔다.

[*] 일본 구직 사이트 '마이나비'로 추정

10월 XX일

　면접을 보러 갔다. 응접실로 보이는 공간에는 편집부 부장이 둘 있었다. 둘 다 40대 중반쯤 되려나? 말문을 연 사람은 은테 안경을 쓴 쪽이었다. "얼마 전에 K랑 술 마셨어요." K씨는 이전 회사 같은 부서에서 일했던 사람인데, 내가 H씨에게 괴롭힘을 당할 때 "적당히 좀 하라."며 H씨를 데리고 나가 나를 구해 주었다. K씨가 다녔던 회사라면 좋은 회사일지도 몰라. 부드러운 분위기 속에서 지금까지의 직무 경력에 관한 질문에 답하고 입사할 경우 담당할 매체에 대한 설명 등을 듣는다.

　다른 한 사람인 검정 테 안경을 쓴 부장은 지금까지 몇 건 정도의 취재 원고를 썼는가? 100건은 넘겼는가? 하는 질문을 했다. 왜 건수를 묻지? 보통 출판사 면접에서 듣는 질문은 제작했던 매체나 실적, 전문 분야다.

인맥이나 전문성이 기획은 물론 매출로도 이어지므로 경력직 채용의 경우 당연히 확인받곤 하는데, 둘은 직무경력서를 훑어보면서도 그것에 관해서는 전혀 언급하지 않았다.

'이상한 걸 묻는구나.' 하고 속으로 생각하면서 글쓰기를 전문으로 한 것이 아니므로 100건은 안 넘었겠지만 걱정을 끼칠 만한 수준의 원고를 쓰지는 않을 거라 생각한다고 답했다. 30분 정도 면접을 본 후 15분 정도 필기 시험을 보고 끝났다. 역 앞 도토루ドトール*에 들어가 창가에서 홍차를 마시고 있는데 눈앞에 노무라 사치요野村沙知代 씨가 지나갔다. 길조인가? 아니면……. 다음 날, 2차 면접을 보자는 연락이 왔다.

• 일본의 커피 체인점

11월 XX일

  2차 면접일. 시간을 착각해서 30분 빨리 도착했는데 바로 대응해 주었다. 지난번과 같은 방에 들어가 앉아 있는데 부장 둘과 함께 사장이 들어왔다. 은데 부장이 나를 채용하고 싶다고 말했다. 감사합니다, 라고 대답하자 이번에는 사장이 기획은 얼마나 할 수 있느냐, 좋은 작가와 사진가를 10명은 알고 있느냐고 물었다. 자신은 없다고 대답했다. 끝. 한숨 돌리며 면접장을 나왔다. 이제 당분간은 이력서를 안 써도 된다. 정기적으로 수입이 들어온다. 축배를 들고 싶어서 근처 회사에 다니는 이스미イスミ 씨에게 한잔 하자고 문자를 보냈는데 그럴 여유 없다는 답이 왔다.

  그럼 집에 갈까. 계약서 등을 받기 위해 다음 주에 다시 오기로 했다.

11월 **XX**일

서류를 받으러 간 날. 취업조건확인서와 입사서약보증서, 서약서, 개인정보 취급에 관한 동의서 등등. 정사원이 되려면 이렇게 많은 계약서가 필요하구나.

첫 출근일이 정해졌다. 연말을 마음 편히 보낼 수 있다고 생각하니 그것만으로도 감사하다. 이스미 씨에게 다시 한번 술 한잔 하자고 문자를 보냈지만 바쁘다고 답이 왔다. 흠, 됐다고요.

11월 XX일

스페인에 가지 않겠냐고 고이케 씨에게 문자가 왔다. 고이케 씨의 옛 직장 상사가 스페인에서 두부집을 하고 있는데 방문차 간다고 했다. 5박 6일, 공항 이용료 포함 12만 엔이라는 초저가 투어. 고이케 씨는 회사를 그만 두고 시간을 낼 수 있게 되면 언젠가 가보고 싶다고 말했었다. 그렇다. 일을 시작하면 일주일간 해외에 나가는 건 어렵다. 갈게요, 라고 답변한 후 일정을 의논했다. 열흘 후에 출발이다.

11월 XX일

첫 스페인. 첫 패키지여행. 마드리드에서 발렌시아 지방으로 이동한 후 바르셀로나로 향했다. 버스를 타고 하루의 절반은 견학하고 나머지 절반은 이동하는 강도 높은 패키지였다.

참가자는 미인 모녀 두 쌍, 정년퇴직한 부부 두 쌍, 휴가를 받을 수 있어서 왔다는 40대 부부 두 쌍, 할아버지 둘, 모녀 사이라는 두 명, 직장 동료라는 두 명, 혼자 왔다는 여자 세 명, 남자가 두 명이었다. 정년퇴직한 부부는 3개월에 한번은 패키지여행을 떠난다고 한다. 배낭 하나 달랑 메고 가가와香川에서 왔다며, 할아버지 둘이 말을 꺼냈다. "우리는 반년에 한번 정도 싼 패키지가 나오면 여행을 합니다. 단, 선물은 안 삽니다."라고 말했다.

12월 XX일

드디어 두부집 도착. 가게는 바르셀로나의 중심가에
있는데 사그라다 파이밀리아 성당과 카사 밀라를 보고
가기로 했다. 가게에 도착하자 고이케 씨의 눈에서 눈물
이 뚝뚝 떨어졌다. 두부집 주인은 고이케 씨가 A사에서
오래 근무할 수 있는 길을 마련해 준 분이라고 한다.

A사를 퇴직한 고이케 씨에게 이 분을 만난다는 것은
큰 일단락을 짓는 일이리라. 두부집 사장님은 좋아 보이
네, 하고 미소 지으며 고이케 씨의 어깨를 두드렸다. 그
리고 히야얏코冷奴*를 내 주었다. 맛있었다. 고급 두부다.
콩은 캐나다와 중국에서 공수해서 일일이 고르고, 한국
산 기계로 물을 연수화해서 두부를 만든다고 한다. "퇴직
금 다 털었어."라며 작업장을 안내해 주었다.

* 찬 두부에 가쓰오부시 등을 올린 일본 음식

아내와 둘이서 두부집을 운영한 지 7년 정도가 되어
가는데 슬슬 누군가에게 물려주고 싶다고 했다. "일본 여
자는 인기가 많아. 여기로 와서 살아." 고이케 씨 앞에 새
로운 길이 나타났다.

12월 XX일

헬로워크에 갔다. 앞으로 다니게 될 회사에 걸리는 게 있어서 창구에서 상담하기로 했다. 담당자는 옷차림과 말투가 단정한 사람이었다. 아저씨는 내 얼굴을 쳐다보며 말했다. "모처럼 합격했으니 일단 다녀 보세요. 단노 씨는 아직 젊잖아요. 얼마든지 다시 도전할 수 있어요. 만약 안 맞으면…… 딱 1년만 애써 봐요. 나는 취업 컨설턴트인 이 일을 수십 년 해왔어요. 이유는 모르겠지만, 들어갈 시기를 놓치면 좀처럼 들어가기가 힘들어지더라고요. 내 경험을 말씀드리는 거예요. 나쁜 이야기는 안 해요. 한번 해 봐요. 네? 1년만 일해 봐요. 그러려고 이런 제도가 있는 거니까. 마흔을 넘긴다 해도 아직 젊어요. 괜찮아요."라고 아저씨는 격려해 주었다.

12월 XX일

   미야카와 씨가 주최하는 송년회에 갔다. 이전 회사를 그만둔 다음 날 1인 출판사 '교와코쿠共和国'의 창업 기념 이벤트에 갔었다. 오늘 교와코쿠 대표인 시모히라오下 平尾 씨를 만났다. 근황을 보고하니 "힘내세요!" 하고 두 손으로 악수하며 격려해 주었다.

올해의 마지막 날

이사 준비에 한창인 자와 씨 집에서 새해를 맞이하기로 했다. 초밥 체인점에 들러 초밥을 사서 들고 갔다. 자와 씨 집에 도착하자 시노 짱 부부가 맞이해 주었다. 짐은 60퍼센트 정도 쌌다고 하는데 아직 어수선했다. 사실 취직을 못하면 오카야마까지 따라가서 이사를 도울 생각이었다. 그건 그것대로 분명 재미있었겠지. 그리고 꼭 그만큼 불안했겠지. 다 같이 홍백가합전紅白歌合戰*을 보며 출연자를 놓고 이러쿵저러쿵 이야기하는 동안 가져간 안주가 동이 나서 자와 씨가 근처 피자집으로 달렸다. 새해 복 많이 받으라며 건배를 했다. 잠시 후 시노 짱 부부는 돌아갔다. "새해 첫날 밤은 고향집에 모여서 술을 잔뜩 마시는 게 관례거든요." 뒤이어 나도 집에 돌아왔다.

* 매년 마지막 날 NHK에서 방영되는 대결 형식의 음악 방송

새해 첫날

　자와 씨 집에서 돌아온 날 고향으로 가는 야간버스에 자리가 있어서 곧바로 인터넷으로 예약하고 탔다. 거의 만석이었다. 20대 초반으로 보이는 여자가 거의 절반이 었다. 하차 장소는 역에서 약간 떨어진 곳이었는데 네 다섯 명으로 이루어진 무리가 "여긴 대체 어디야?" 하 며 두리번거리다가 어딘가로 사라졌다.

　집에 도착하니 엄마가 청소를 하고 있었다. "어머, 왔구나. 새해 복 많이 받으렴." 선물로 사 간 하토사브 레鳩サブレ를 불단에 올리고 엄마가 준비해 준 아침밥을 먹고 있는데 제부가 담배를 피우러 2층에서 내려왔다.

　"어? 처형, 언제 왔어요?" 방금 전에 고속버스로 왔다 고 답한다. "그게 싸게 먹히죠. 기름 값보다 싸요." 맞 아 맞아, 하듯 고개를 끄덕이며 연기를 내뱉었다.

여동생 부부는 섣달그믐에 와서 홍백가합전과 도시코시소바年越しそば●도 다함께 집에서 즐겼다고 한다. "3일부터 출근이라 저만 먼저 돌아가야 해요." 매제는 비교적 규모가 큰 생활공동조합에서 일한다. 배달원으로 일을 시작해 8년쯤 됐을까? 도쿄에서 어떻게든 버티는 나와 비슷한 연봉으로 아내와 세 아이를 먹여 살린다. 정직원이다. 월급은 짜지만 복리후생이 좋다고 여동생이 말한 적이 있다. "얼마 전에 본사 연수가 있어서 시부야에 갔어요. 시부야 109●●인가? 그런 건물도 봤는데. 와, 정말 피곤했어요. 그냥 거기 있는 것만으로도." 그리고 다이칸야마에서 촬영 중인 에이타瑛太●●●를 봤다고 기쁜 얼굴로 말했다.

2층에 가자 방에 빼곡히 깔린 이불에 여동생과 아이들이 보기 사나운 꼴로 뒹굴뒹굴 자고 있었다.

● 1년의 마지막 날 대청소를 하고 온 가족이 새해를 맞이하며 먹는 음식
●● 시부야를 상징하는 패션몰
●●● 일본의 남자 배우

1월 XX일

회사 때문에 매제가 떠나자 교대하듯 남동생 부부가 왔다. 남동생 부부도 아이가 셋이다. 가장 큰 조카가 중학교 2학년 남자아이다. 어릴 때는 아빠랑 같이 일한다며 남동생이 하는 자영업을 물려받을 거라고 했는데 지금은 싫단다.

도합 여섯 명의 아이들이 정신없이 뛰어다니는 거실에서 남동생이 전에 없이 뭔가 말하고 싶은 눈빛으로 쳐다본다. 분명 그 일이 신경 쓰이는 거겠지. 그 일이란 입사 시에 제출하는 '입사서약보증서'다. 보증인이 두 명 필요하다기에 아버지와 남동생에게 부탁했다.

"이번 회사는 정직원이야?"

"응. 보너스도 나와."

도쿄에서 사는 사람은 형제 중 나뿐이지만 벌이가 변

서른아홉 백수 일기 085

변치 않은 것도 나쁘이다. 얼마 안 되는 세뱃돈을 건네자 조카들이 공손히 받았다. "너무 적어서 미안해." 하자 여동생이 "할아버지랑 외삼촌한테 많이 받으니 그걸로 충분해."라고 말했다. "우리는 둘 다 애들이 있으니까 세뱃돈을 준다 해도 교환하는 셈이니 괜찮지만 언니는 정말로 줘 버리는 거니까 타격이 크지."

1월 XX일

헬로워크에 갔다. 마지막 절차를 위해서다. 필요 서류에 관해 간단한 설명을 듣고 끝났다. 새해에도 분위기는 여전했다. 새로운 실업자가 창구를 찾아오고, 인정일을 충족한 실업자는 나간다. 다음 주부터 출근이다. 수습 기간은 4개월이나 된다. 야근 수당이 포함된 재량노동제裁量勞働制라고 했다. 면접 때의 일 등을 떠올리면 이것저것 걸리는 부분도 있지만, 모아 둔 돈도 없고 우선 먹고 살아야 한다. 올해는 지금 사는 아파트도 재계약해야 한다. 돈이 필요하다.

2장

사원은 괴로워

2015년 1월 ~ 2016년 2월

1월

첫 출근. 업무 시작 시간보다 20분이나 일찍 도착했다. 역 플랫폼의 어느 위치에서 환승하면 효율적인지 미리 알아 둔 덕도 있지만, 러시아워라서 사람들의 이동 방향 등 목적이 모두 같으니 다른 시간대보다 걸음이 빨라졌다.

오늘은 일주일에 한 번, 조례하는 날이라고 했다. 회사에 도착하자 은테 안경 A부장과 서서 이야기를 하고 있던 검은 테 안경 B부장이 다가와 "우리는 담당 매체별로 책상을 모아 놓지는 않아."라고 말하며 내 자리를 안내해 주었다. 내 자리 맞은편은 운동선수 느낌의 40대 남성 다케タケ 씨, 왼쪽은 단정한 미소를 띤 30대 여성 야마우치ヤマウチ 씨였다. 책상 서랍을 열자 필기구와 메모지, 포스트잇 등이 들어 있었다. 지금까지 여러 회

사를 다녔지만 첫날은 책상이 텅 비어 있었고 문구류는 총무부에 받으러 가곤 했기에 마치 환영받는 느낌이 들어 감격했다.

신입사원은 세 명이었다. 작년 말 아르바이트로 들어왔다는 20대 여성 지토세ㅊㅏㅅ 씨, 지난 주 입사했다는 온화한 분위기의 40대 남성 기타다ㅋㅈㅋ 씨, 그리고 나. 직원의 약 삼분의 일이 새로운 멤버라고 했다. 인사를 마치고 총무 담당자에게 사내 비품, 청소 당번, 입사 서류에 관한 설명을 듣다 보니 오전은 눈 깜짝할 새에 지나갔다. 점심은 알아서 드시면 돼요, 하고 도시락을 손에 든 B부장이 이야기해 주었다. 야마우치 씨에게 점심을 같이 먹자고 하고는 회사에서 도보 1분 거리에 있는 태국 요리점으로 갔다.

야마우치 씨는 입사한 지 2년이 됐다고 한다. 1년간 잡지 회사에서 일하다가 안 되겠다 싶어서 사무직으로 이직했다고 한다. 하지만 이내 다시 한번 도전하고 싶다는 생각으로 이 회사에 입사했다고.

"난 무엇이건 다 얘기해 줄 수 있어요."

흥, 웃기지도 않아서, 하는 말투로 야마우치 씨는 말

했다. "우리 회사는 사람이 너무 자주 바뀌어요. 작년에만 거의 한 달에 한 명이 그만뒀다니까요. 2년차인 내가 대선배 느낌이에요." B부장이 6년 있었고, A부장은 지금 있는 사원 중에 가장 오래 재직했지만 한 번 그만뒀다 다시 돌아왔다는 것, 다케 씨는 4년차, 작년에 갓 대학을 졸업하고 들어온 미조노쿠치ミゾノクチ 씨는 아르바이트한 시간을 포함하면 2년차, 오늘은 출장 가서 부재중인 40대 여성 마리マリ 씨는 입사한 지 1년 반 정도, 사내 디자이너인 요지ヨウジ 씨는 아마도 50대고 얼마나 다녔는지는 알 수 없다고. 재미있는 이야기도 아니라서, 우와, 헉, 고생했네요, 라고 적당히 맞장구를 치며 들었다. 야마우치 씨가 "왜 우리 회사로 정했어요? 구직활동 오래 했어요?"라고 물었다. "여기에 지원했는데 바로 붙어서요."라고 어물어물 대답했다.

"우리 회사는 항상 모집 중이라니까요."

그건 몰랐다.

"직원들이 줄줄이 그만두는 마당에 무리할 필요 있겠어요? 그래도 나는 익숙해졌어요. 지금은 B부장과도 잘 지내니까 됐죠 뭐."

특별한 화젯거리는 나오지 않았다. 아니 그보다 야마우치 씨도 두 부장들과 마찬가지로 업무 경력에 관해서는 전혀 이야기하지 않았다. 회사를 나온 지 50분이 지났다.

"슬슬 들어갈까요? 우리 회사는 점심 혼자 먹어요."

야마우치 씨의 말마따나 점심을 먹으러 같이 나가는 사람은 아무도 없었다.

첫 출근했던 날 출장 중이던 마리 씨가 점심을 먹자고 청해왔다.

한편 일주일이 넘어도, 입사 동기인 기타다 씨와는 인사 외의 대화를 나누지 않았다. 서로 다른 홍보지를 담당하고 있기에 접점이 없다고 하면 없지만, 무엇보다 기타다 씨는 회사에서 존재감이 없다고 해야 할까? 어느 샌가 점심을 먹으러 나가고 어느 샌가 정시 퇴근을 했다. 그렇다고 안 좋은 느낌은 아니다. 말을 걸면 웃는 얼굴로 대답해 주지만 자기가 먼저 잡담을 하지는 않는다. 그런 상황에서 다른 직원이 점심을 먹자고 했기에 이제야 보통 신입사원으로 취급해 주는구나 싶어서 기뻔할 대목이지만, 밝고 쾌활한 마리 씨가 약간 어두운 표정으로 은근슬쩍 말을 걸어왔기에 예감이 좋지 않았다. 마리 씨가 자주 간다는 가게로 들어갔다. "여기 싸고 맛있는 데다 음료까지 포함이에요." 식사가 나오는 동안 서로 자기소개를 했다. 편집 프로덕션에 근무했다는 마리 씨는 식후에 나온 커피를 빤히 쳐다보았다.

"저기, 우리 회사 놀랄 일 많으니까 미리 말해 주고 싶어서요. 면역을 키워 두는 편이 좋을 거예요."

작년에는 다섯 명이 그만뒀다는 것, 신입이든 바로 일에 투입할 수 있는 3년 이상 경력자든 모두 일이 너무 많고, 동시에 B부장과 안 맞아서 '마치 손톱이 빠지듯' 그만뒀다고 한다. 마리 씨도 퇴직 의사를 밝혔지만 회사에서 말리는 바람에 여기까지 왔다고 한다. "아무튼 조심해요." 가게를 나오자 스위치를 누른 듯 밝고 쾌활한 마리 씨로 돌아갔다. 입사하자마자 이런 이야기를 듣는 회사는 처음이다. 어쩌려고 이러나.

내가 담당하는 홍보지는 여러 개였지만 충분히 해나갈 수 있는 양이었다. 하지만 내 일만 하면 되는 게 아니었다. 편집 회의에서 B부장은 말했다.

"특집 인터뷰 후보도 찾아 줘야 해요. 그리고 매달 제안하는 기획안도 다 같이 '리서치'해 주기 바랍니다."

지금까지의 경험상, 맡은 업무 이외의 일을 돕는 경우는 문제가 생겼을 때나 시간적으로 여유가 없을 때와 같은 어지간한 경우가 아니면 없었기에 놀랐다. 내 담당 기획도 '리서치'해 준다고 한다. 미조노쿠치 씨가 '리서치' 결과를 인쇄해서 늘어놓고는 설명을 시작했다. 내 기획서를 본 B부장은 "이것 좀 봐. 자고로 기획서란 이런 거야. 날짜와 이름이 제대로 들어가 있잖아."라고 미조노쿠치 씨에게 말했다. 그 다음 날 회의에 제출된 미조노쿠치 씨의 기획서에는 날짜도 이름도 없었다.

미조노쿠치 씨와 출퇴근길이 같아서 함께 퇴근했다. 미조노쿠치 씨는 내게 어떤 일을 했는지 물었다. "친구도 대졸 신입으로 들어간 회사에서 고생하고 있어요." 미조노쿠치 씨는 밤 12시에 근처에서 달리기를 하다가 치한을 만나는 바람에 지금은 일을 마치면 헬스장에 들러 운동을 한다며 중간에 하차했다.

면접을 볼 때 차를 내온 사람이 미조노쿠치 씨였다.

사내에서는 일 못하는 사람이라고 생각하는 모양이지만 성격이 좋아서 직원 모두에게 귀여움을 받는다.

미조노쿠치 씨가 또 '리서치'를 하고 있다. 신입사원 환영회를 할 가게를 찾는 것이었다.

2월

　입사한 지 딱 한 달이 지나 두 부장과 면담했다. 우연히 같은 날 우리 회사에 다녔던 R씨와 술을 마시러 갔다. 어느 정도의 세월이 지나 전체를 객관적으로 보는 사람의 이야기를 듣고 싶었다.

　"옛날에는 편집자 수준이 더 높았어."

　나는 회사 서고에서 본 홍보지를 떠올렸다. 80년대에 창간되어 2011년에 휴간된 그 홍보지는 내용도 디자인도 수준이 높았다. 당시는 경기도 좋았고 제작비도 더 저렴해서이기도 하겠지만, 지면 구석구석에는 일에 진지하게 임하는 장인과도 같은 에너지가 넘쳐흘렀다. 즐기면서 만들었다는 느낌이 고스란히 전해졌다. R씨에게 그 이야기를 했다.

　수준이 떨어진 것 같다고 R씨는 말했다. 편집자라 부

를 만한 경력을 가진 사람이 없고, 신입을 키울 사람도 없을뿐더러, 있다 해도 그럴 여유는 없다. 경력자를 채용해도 자기 업무에 쫓기다 너덜너덜해져서 그만둔다. 야마우치 씨와 마리 씨, R씨의 이야기를 비교해 가면서 녹차하이綠茶ハイ●를 홀짝였다. 모두가 같은 생각이었다. '상사'들은 무능력한 자신을 직시하기를 꺼려하는 건 아닐까? 그런 의문이 피어올랐다.

인재를 키우면 해결된다. 그런데 인재는 키워지는 걸까? 어떻게?

재계약이 되지 않아 그만둔 회사의 상사 SM씨에게 "지금껏 잘도 편집 일을 했네. 그건 네 실력이 아니라 회사 이름으로 가능했던 거야."라는 말을 들은 적이 있다. 너는 무능하다는 뜻이었다. "나는 부하 복도 없지." 내 옆에서 SM씨가 한숨을 푹푹 내쉬었다.

SM씨는 유명한 편집자였다. 아무도 할 수 없을 것 같은 시리즈 기획, 세계적인 작가들의 책, 작가의 재평가로 이어지는 양서를 편집한 사람. 내가 지금껏 굉장

● 녹차와 소주를 섞은 술

하다고 흥분하며 넋을 잃고 산 책 대부분이 SM씨의 손을 거친 것이었다.

그 회사의 면접에 붙었을 때 "뽑을 만한 사람이 단노씨 정도였어요."라는 말을 듣고 기뻐서 어쩔 줄을 몰랐는데, 그 말의 의미는 나중에 깨달았다.

존경하는 일을 해온 사람 밑에서 일을 하는 것. 꿈같은 이야기다. 계속 잡지 일을 해왔기에 단행본은 처음하는 일이었고, 보기 좋게 나가떨어졌다. SM씨는 "단행본이든 잡지든 같다고 보는데? 다르지 않아. 네가 이상한 거야."라고 말했다. 잡지와 단행본 모두 해본 아는 중년 편집자에게 물어보니 "뭐래? 당연히 다르지."라고 했다.

"학자가 되란 소리가 아니야. 다만 내 질문에 확실히 대답할 수 있을 정도는 돼야 해."

지적이 이어졌다.

"맨 먼저 가장 어려운 일을 해치우면 그 다음부터는 편한데." 불쌍하다는 듯 SM씨는 말했다. 뭐가 가장 어려운 일인지조차 몰랐다.

SM씨는 "내 일을 좀 도와줬으면 싶긴 한데 내 입으

로 먼저 말하기는 좀."이라고 말했다. "도와드릴게요."
하면 "고마워. 근데 괜찮아."라고 했다. 동료의 신간 이
벤트에 일손이 부족한 것 같아서 회사에 남아 있었는
데, 이번에는 왜 퇴근 안 하느냐고 혼이 났다. SM씨가
기획한 건 중에 아직 시작되지 않은 일을 도맡아 해 보
겠느냐고 묻기에 자신이 없어서 대답을 주저하다 고민
끝에 시켜달라고 말하자 "당연히 해야지!"라며 화를 냈
다. 내 잘못이다. 그 사람과 맞지도 않았다. 회사 밖에
있으면 아침부터 한밤중까지 문자가 왔다. 답은 즉각
보냈다. 만약 늦게 답했다면 어땠을까? 그런 적이 없어
서 모른다. 일이라면 당연하지만, 회사 밖에서도 이어
지는 개인적인 연락이 속박으로 느껴져 고통스러웠다.

한 번, SM씨와 말다툼을 한 적이 있다. SM씨는 전
과 말이 달라지는 경우가 많았다. 말한 대로 해도 아니
라는 소리를 들었다. 그게 반복되자 나도 감당이 안 되
었던 모양인지, 평소에는 꾹 삼켰던 말을 미처 다 삼키
지 못한 것이다.

"아니요. 말씀하셨어요. 확실히 기억해요. 아니었다
면 그런 행동은 안 했겠죠."

"내가 그런 말을 했을 리 없어."

"말씀하셨다니까요? 그러면 저는 왜 이런 메모를 남겨 놨을까요?"

"말했을 리가 없다니까. 했다 해도 네가 뜻을 잘못 받아들인 거겠지."

겨우 참고 있던 눈물이 뚝뚝 떨어져서 자리를 박차고 나갔다. 눈과 코에 빨간 기색이 가시지 않은 채로 자리에 돌아온 나에게 SM씨는 "운다고 내가 눈 하나 깜빡할 것 같아?"라고 말하더니 자신의 경험을 들려주었다.

"녹음해도 좋아. 내가 전에 있던 회사에서 상사가 본인이 무슨 말을 하는지 통 몰라서 결국 녹음하게 해달라고 하고 녹음기를 돌린 적 있어."

그러면 그렇게 하겠습니다, 하고 나도 SM씨의 말을 녹음했다. 이러니 상황이 나아질 리가. 위태위태했다. SM씨와 좋은 관계를 이루지 못했고, 일도 신통치가 않아서 입사하고 1년이 다 되어가도록 책을 한 권도 내지 못했다. 그 후 나는 다른 부서로 이동하게 되었다. 내가 희망한 것이 아니라 경영난에 의한 정리해고 차원의 인사이동이었다.

같은 회사 사람이라면 나의 무능함에 대해 누구나 아는 상황에서 이동한 부서. 그곳에서 과장인 H씨에게 괴롭힘을 당했다. 부장님께 상의하자 발 빠르게 대응해 주었고 동정해 주는 사람도 있었지만 너 같이 무능한 인간은 당해도 싸다는 눈으로 못 본 척하는 직원이 훨씬 많았다.

SM씨가 말을 걸어왔다.

"네 이야기 들었어. 괜찮아? 점심 같이 먹을래?"

뭔가 맛있는 거라도 먹자. 뭐가 먹고 싶어? 하기에 나는 초밥집 앞에서 멈춰 섰다. 회사 사람이 잘 가지 않는 가게였다. SM씨는 고추냉이를 듬뿍 넣어달라며 런치 메뉴를 주문했고 내 속도에 맞춰서 이야기를 들어주며 가만히 옆에서 격려해 주었다.

그 후 구조조정이 이어졌고 오래 다닌 직원도 나가고, 사원 수는 삼분의 일로 축소되었다는 소문을 들었다.

R씨는 세 잔째의 녹차하이를 주문했다.

"야마우치 씨 말이야, 일을 우습게 보는 것 같지?"

"기획 같은 건 대충 눙치면 된다고 자주 말해요. 근

데 그거 A부장의 말버릇 그대로 흉내 내는 거잖아요."

"그러게. 말만 그렇지 일을 잘하는 것도 아닌데 그런 분위기만 조장해서 화난다니까."

"근데 다른 회사에서 편집 일 한 적 있다던데요."

"편집이래? 아니야, 광고 제작이었을 거야. 그것도 1년을 못 버텼지 아마."

"그럼 우리 회사에서 기본부터 익히는 셈이네요. 근데 왜 그렇게 태도가 건방질까요?"

"모르지."

바닥에 또 바닥이 있다. '무능한 나'라는 바닥 아래 또 바닥이 있었다.

내 직속 상사는 모든 광고지를 총괄 담당하며 편집장 역할을 하는 B부장이었다. 원고를 확인해 달라고 하면 연필로 빼곡히 적어놓곤 했다. 조심조심 읽어 보면 사실 관계 확인과 같은 교열적인 측면의 의견 외에도 지적할 만큼은 아닌 어미나 접속사에 일일이 연필로 체크를 했다. 이 홍보지에서는 문체를 통일하는 건가, 하고 생각했지만 과월호를 보면 그렇지도 않은 듯했다. 취향에 맞는 문장을 쓰면 되는 모양이다. 교정지 크로스 체크를 한 야마우치가 쓴 붉은 글씨는 B부장과 마찬가지로 어미와 접속사에 관한 것이었다. 예스러운 표현을 사용한 곳에도 체크가 되어 있기에 틀린 건 아닌데 고쳐야 하느냐고 묻자 "몰랐네요. 그럼 됐어요."라고 눈도 마주치지 않고 답했다.

B부장이 미조노쿠치 씨에게 단단히 화가 나 있다. 원고가 엉망이라는 게 이유였다. 다음번에도 제대로 쓰지 못하면 앞으로 취재에 내보내지 않겠다고 호되게 혼이 난 미조노쿠치 씨가 "어떻게 하면 좋은 원고를 쓸 수 있을까요? 또, 좋은 제목을 붙일 수 있을까요?"라고 묻기에 다른 잡지나 광고지 같은 걸 보고 참고로 하라고 답했다. "맞아. 예전에 나도 그렇게 말해줬잖아." 요지 씨가 보탰다. 힘내, 라고 격려하니 그녀만의 전매특허인 미소를 띠며 "넵!" 하고 대답했다. 진전이 보이지 않았는지 나중에 취재에서 제외되었다.

3월

우리 회사는 소기업이 모여 있는 지역 한쪽에 있는데 그런 중소기업과 섞여 수많은 음식점이 있다. 대부분 개인이 경영하는 가게로 메밀국수, 우동, 초밥, 중화요리, 이탈리아요리, 카레, 태국요리, 프랑스요리, 햄버거, 카페, 쇼와昭和*분위기가 나는 카페 등 뭐든 다 있다.

우리 회사 근처의 회사에 다니며 나와 같은 역을 이용하는 이스미 씨는 600 엔짜리 점심 특선을 제공하는 중화요리 식당, 쇼와 분위기의 카페, 체인 우동집에서 점심을 먹는다고 했다.

"점심에 1,000 엔을 어떻게 써."

동감. 점심 예산은 최대 1,000 엔이다. 음료 포함 1,000 엔 이하, 혹은 700 엔 이하로 간단하게 해결하고 체인

* 일본의 1950~1980년대

점 계열의 카페에 간다. 가까이에 무척 맛있는 빵집이 있어서 기뻐했는데 사무실 안에서 밥을 먹는 건 왠지 마음이 놓이지 않아 어지간히 바쁘지 않는 한 밖에서 해결하고 있다. 편하게 식사하기 좋은 가게를 몇개 찾으니 이 주변 모든 식당을 제패해 볼까 했던 처음의 의욕은 사라지고 일주일의 로테이션이 생겼다.

일이 익숙해지자 맡는 일도 늘었지만 힘들 정도로 야근하는 일은 없다. 거의 매일 있었던 '회의'도 점점 줄고 각자의 페이스로 할 일을 하는 분위기가 만들어졌다. 취재가 많아진 것도 원인이리라. 거의 매일, 반드시 누군가가 취재나 출장을 위해 자리를 비웠고 일주일에 한 번 있는 조례에 모든 직원이 모이지 않는 것은 흔한 일이 되었다.

나도 드디어 출장을 갈 날이 왔다. 당일치기였지만 낯선 곳에 갈 수 있다는 게 기뻤다. 취재 상대뿐 아니라 그 지역을 조사해서 갔다. 낯선 마을에 관해 알게 되는 게 기뻤다. 기본적으로 취재, 집필, 촬영 모두 혼자 하므로 시간을 지키고, 카메라나 녹음 기자재 등에 문제가 없도록 신경을 쓰는 것 외에는 가벼운 마음으로 움직일 수 있었다. 취재 후 열차를 기다리는 동안 기념품을 사고 돌아가는 차 안에서 머릿속으로 대략적인 기사 구성을 한다. 사무실에서 업무할 때와 비교하면 출장은 이동하는 시간이 대부분이라 업무 느낌은 그다지 들지 않는다. 그런데도 대단한 일을 하는 것만 같다. 왜일까?

일주일의 절반 이상을 출장에 할애하는 다케 씨는 아무래도 기본적으로 집필을 안 하니 취재만 나가는 모양이다. 담당하고 있는 분량도 그다지 많지 않다. 미조노쿠치 씨에게 기획이나 기사 작성을 위한 리서치를 시키고 자기는 정시에 퇴근한다.

통근에 왕복 세 시간 정도 걸린다는데 그건 미조노쿠치 씨의 잔업 시간과 맞먹는다. 그래도 아무도 불평불만을 드러내지 않는 것은 다케 씨는 붙임성이 있는데다 형 같은 캐릭터라서, 일을 안 하려는 느낌이 밝은 성격에 묻히기 때문인지도 모른다. 원성을 사기 어려운 성격이랄까? 내 동기인 기타다 씨는 도쿄에서 취재를 하면 회사에 돌아올 수 있는 시간인데도 꼭 바로 퇴근한다. 사무실에서 전화나 받으면서 취재가 필요 없는 원고를 이것저것 쓰는 것이 한심하게 느껴진다.

　기업 홍보지의 기획회의. B부장의 기획 짜는 방법이
독특해서 당황했지만 일단 끝까지 이야기를 들었다. 기
업을 상대로 한 프레젠테이션에는 사장님도 동석하므
로 회의에도 매번 사장님이 참석한다. 기획서를 훑어본
사장님은 "이대로 괜찮을까? 난 잘 모르겠네."라고 말
했다. 회의가 끝나자 B부장은 "그치? 큰일이라니까. 나
도 제목 안 100개 제출하라고 해서 냈더니 결국 맨 처
음 걸로 결정 났다니까." 하며 쓴 미소를 지었다. B부
장이 개수에 집착하는 이유는 이거였구나 싶었다. 질이
아닌 양. 기획 세우는 법이 독특한 것도 B부장 나름대
로 궁리한 살아남는 방편인지도 모른다.

　몇번인가 회의를 하면서, 몇가지 방법을 제시하다가
결국은 잘 모르겠다며 흐지부지하는 사장님의 패턴을
파악했다. 수줍은 건가? 아니면 교육적 배려인가? 그런
것 같기도 하고 아닌 것 같기도 하다. 사장님은 B부장
이 프레젠테이션 형태로 정리한 기획서를 보더니 "대체
이게 뭐야? 이런 걸로 설득할 수 있겠어?"라며 화를 냈

다. 나도 그렇게 생각했기에, 이제부터 어쩌면 좋지 하고 불안감이 소용돌이쳤지만, 결국 작년에 담당한 사람들이 다시 맡기로 한 모양이었다.

사장님은 "나는 잘 모르겠네."라는 말을 자주 했다. 최종적으로 클라이언트의 판단에 맡기므로 엄밀히는 '모르겠다'고 말할 수밖에 없는지도 모른다. 하지만 경험이 적은 야마우치 씨나 미조노쿠치 씨 입장에서 보자면 어디가 잘못된 건지, 혹은 잘한 건지 이유도 기준도 모른 채 부서지는 꼴이라, 양은 달성한다 하더라도 질은 보장하지 못하리라. 그저 피폐해질 뿐이다. 나도 지치고 말았다.

출장과 여행 사이

1

출장을 동경해왔다.

이동 시간을 빼면 실제 근무 시간보다 일하는 시간
은 짧다. 그런데도 왠지 격무를 해치운 듯한 느낌이 든
다. 화이트보드에 쓰인 '출장'이라는 두 글자에는 '이걸
보라고! 나는 먼 곳까지 나가 일을 하는 사람이야!' 하는
당당함에, 약간 피로감이 스민 듯한 멋이 있어서 좋다.
보이지 않는 곳에서 일한다 해도 좋다.

도시락을 사서 신칸센을 타는 것도 좋다. 출장지에서
사는 기념품도 동경의 대상이다.

'교토에 가면 저는 아자리모치阿闍梨餠를 사요.', '평범
하지만 나는 미스즈아메みすず飴가 좋아요.' 등의 취향이
엿보이는 멋진 솔직함. 예전에 해질 무렵 회사원으로
붐비던 도카이도신칸센東海道新幹線 기차 안에서 캔 추

하이酎ハイ*를 서로 따라주며 술집 분위기를 내는 모습을 본 경험도 출장에 대한 선망을 키웠다. 출장을 간 적이 없지는 않지만 두세 번이 고작이었다. 가고 싶지만 경비가 허락하지 않았다.

하지만 최근에 맡은 일은 출장이 많다고 한다. 입사한 지 얼마 지나지 않아 이와테岩手, 아이치愛知로 출장을 떠났다.

나는 한 월간지에서 일본 전국 각지의 중소기업 대표자(사장)를 찾아가는 연재를 담당하고 있다. 그래서 출장은 곧 취재다. 취재하러 간 곳 대부분은 직원이 열 명에도 못 미치는 소규모 회사가 많았고, 연재 기사는 대개 설립 계기와 잘나가던 시절 이야기, 불황을 어떻게 극복했는가, 앞으로의 포부 등으로 구성된다. 인터뷰이가 그런 내용을 이야기할 수 있도록 적절히 질문하고 궤도를 벗어나면 수정한다. 취재 시간은 대체로 한 시간 정도로 잡지만, 한 시간 반을 넘기는 경우가 대부분

* 소주에 탄산수를 탄 음료

이다. 상대방이 말하고 싶은 것과 내가 질문해야 하는 것이 다른 경우가 많기 때문이다.

신규 사업으로 양식업을 시작한 지 2년이 되었다는 T 씨는 이와테에 산다. 평소 출근 시간보다 빨리 집을 나와 도호쿠신칸센을 탔다. 승차 시간은 도쿄에서 세 시간 반 정도 걸리지만 구글맵으로 찾아보니 T씨의 회사는 역에서 차로 20분이 넘게 걸리는 모양이었다. 도쿄역에서 서둘러 산 도시락을 천천히 먹으며 자료를 다시 훑어본다. 역에서 택시를 타고 T씨의 작업장으로 향했는데 내비게이션에 주소가 안 나와서 결국 사장님이 데리러 와 주었다.

작업장 부지 내에는 당일치기 온천이 있었다. 이 주변에는 마땅한 장소가 없다고 해서 온천 로비에서 취재를 하게 되었다. T씨는 이 지역에서 대대로 건설업을 하는 가문의 차남으로 몇년 전에 고향으로 돌아왔다. 그는 여기에서만 할 수 있는 일을 하자는 생각에 온천수를 활용하여 양식업을 시작했다고 한다. 이 온천수가 얼마나 훌륭한지를 열심히 홍보하고, 집에도 안 가고 홀로 작업장에서 숙식을 해결하며 날마다 일을 한 시절도 있었다는 고생담을 털어놓았다. 하지만 고생담은 점점, 빚까지 지고 시작했는데 실패하면 목매달고 죽으라는 험한 소리를 부모님과 형에게 들었고 아무도 자기편을 들어주지 않는다는 토로로 바뀌어 갔다. 사업은 아직 성과를 내지 못했지만 문제점을 알았으니 이제부터는 차근차근 순서를 따라가기만 하면 된다고 했다.

취재 도중 T씨의 지인이 온천에 왔다. 나를 본 T씨의 지인은 "손님?" 하고 T씨에게 물었다.

"응. 취재. 도쿄에서 여기까지 와 주셨어."

"오, 도쿄 데뷔?"

"아니, 전국 데뷔. 선전도 스스로 해야지. 도와주는 사람 하나 없으니까."

"힘내."

취재 도중 온천을 찾아온 손님이 몇 명 있었지만 T씨가 말을 건 사람은 카운터에 물건을 찾으러 온 T씨의 할아버지와 이 지인뿐이었다.

두 시간 정도의 취재를 마치고 회사에 취재가 끝났다고 연락했다. T씨가 "모처럼 멀리서 오셨는데 괜찮으면 온천욕 좀 하고 가시죠."라고 말했다. "아니요. 당치도 않아요."라고 거절했지만 다음 신칸센까지 시간이 많이 남아서 결국 온천에 들어가기로. T씨가 열변을 토로하는 이유를 알 것 같은 무척 좋은 온천이었다. 마을 주민으로 보이는 여자 분이 여유롭게 몸을 씻고 온천에 몸을 담갔다.

온천욕을 마친 후, 역까지 바래다주겠다는 T씨의 친절을 감사하는 마음으로 받고서 T씨의 애마에 올랐다. 가는 도중 T씨가 옛날이야기를 시작했다. 무면허 운전으로 경찰에 잡혀서 가방 하나 달랑 들고 도망치듯 고향을 떠났다는 이야기였다. 튜닝되어 있는 핸들을 보고서 고개를 끄덕였다.

'폭주족'을 짐작케 하는 핸들 조작으로, 안전하게 운전해서 역까지 바래다 준 T씨와 헤어진 후 눈에 들어온 휴게소에 들렀다. 당근이 5킬로그램에 300엔. 계산대에는 초로의 남성과 30대 정도로 보이는 여자 분이 나란히 서서 호흡이 딱딱 맞는 팀워크로 계산과 포장을 했다. 돌아가는 열차에서 먹을 저녁거리로 주먹밥 도시락과 맥주를, 집에서 먹을 당근 100엔어치와 유부 등을 샀다. 기사의 참고 자료로 쓰기 위해 역에 있는 관광

안내소에서 관광 팸플릿을 수집하고, 회사 사람들과 나눠 먹을 기념품으로 남부센베南部せんべい를 샀다. 일행인 회사원 두 명이 매점에 들어오자마자 "있다, 있어!"라고 말했다. 맥주와 추하이를 보고는 기뻐하는 것이다. 역시 필수품이다.

도쿄역에 도착하니 저녁 8시가 넘었다. 다음 날 출근해서 녹음 데이터를 원고로 작성했다. 기사에는 T씨가 폭주족이었던 사실이나 온천수가 얼마나 좋은지는 쓸 수 없다. 다만 나 혼자 기억하는 것뿐이고, 우연한 때 이런 식으로 기념품을 나눠 주며 이야기하는 정도겠지. 기념품으로 산 남부센베를 허겁지겁 먹고 있는 회사 사람들에게 T씨가 폭주족이었다는 것만 말했다.

아이치현에서 공작기계를 수리하는 S씨를 방문했다. 재래선 기차역에서 택시를 잡아 탔다. "손님, 어디서 오셨어요?"라고 묻기에 도쿄라고 대답하자 운전기사 아저씨는 "여기는 아무 것도 없죠?"라고 말한다. '아무 것도 없다.'는 말은 곧 '흔히 볼 수 있다.'와 같은 말인지도 모른다. 드넓은 논, 드문드문 서 있는 연립주택, 자재창고, 공장……. '흔히 볼 수 있는' 교외의 풍경이 이어진다. 그 안에 S씨의 작업장이 있다. 사무실로 들어가자 몸가짐이 단정한 사모님이 맞이해 주었다. 그리고 나를 작업 중인 S씨에게 안내했다.

S씨는 내 친할아버지와 닮았다. 투박한 말투, 다정함, 장인 기질. 할아버지는 김 양식을 생업으로 했는데 이따금 특A급이라 불리는 최고 등급의 김을 출하했다. "김은 자고로 새까매야 해." 하면서 료칸旅館*의 조식으로 나오곤 하는 양념 김을 못마땅하게 여겼고 자기 일에 자부심을 갖고 임했다. 할아버지가 돌아가신 것은 5년 전이다.

예순여섯이라는 S씨는 줄곧 쾌활한 아이치 사투리로 돈을 많이 번 이야기, 어두운 이야기 가리지 않고 솔직하게 들려주었다. 창업한 후 어떻게 사업을 확장해 왔는지를 묻자 "확장이라고 해야 하나. 이 일은 실력만큼 버는 게 맞다고 봐요."라고 말했다. 고도경제성장기, 버블경제, 리먼쇼크, 아베노믹스. 경제의 파도에 이리

---

* 일본의 전통적인 숙박 시설로 에도 시대부터 이어져 왔다. 일본식 정원을 볼 수 있으며 식사는 코스별로 나온다.

저리 부대끼면서도 성실하고 정직하게 일을 해왔을 S 씨는 문득 눈길을 돌리더니 "정말 힘들어요. 업계 자체가 많이 축소됐거든요. 그래서 후계자도 없는 거겠죠. 앞으로는 더 힘들어지겠죠."라고 혼잣말하듯 말했다.

"그때는 참 좋았지."

"전화벨 소리가 끊이질 않았잖아요."

사모님이 그립다는 듯 덧붙였다.

"그때는 요코하마에도 자주 갔지."

S씨의 얼굴에 미소가 번진다.

"앞으로는 더 힘들어질 거야."

S씨의 표정에 그늘이 드리운다.

이야기를 어떻게 매듭지어야 할지 몰라서, 그렇다고 아름답게 마무리 짓는 것도 정직하지 못하다는 생각이 들어서 입을 다물고 만다. 그래서 작업하는 사진을 찍고 싶다고 부탁했다. "좋지!" 하고 의자에서 일어난 S씨는 "영정 사진이 되겠네."라며 웃었다. 그는 이 취재를 자신만의 기념으로 삼고 싶었던 것일까?

작업장에는 직원 한 명이 거래처에서 맡겼다는 기계를 닦고 있었다. S씨는 "이래봬도 이게 20톤이나 나간다니까." 하며 쇳덩어리를 가리킨다. 공구가 기능적으로 배치되어 있고 쓸데없는 것이 없는 작업장과 담담히 사진 찍을 준비를 하는 S씨의 모습. 전문 사진가가 찍었다면 엄청나게 멋있었을 텐데, 생각하며 작업하는 S씨를 찍었다. 사진은 다 찍었다고 말하자 S씨는 "끝까지 볼 거예요? 작업이 끝나려면 한 시간 넘게 걸릴 텐데."라고 말하더니, 사모님께 역까지 바래다주라고 했다. 죄송스러운 마음으로 사모님의 차에 올랐다. 차 안은 빨간색이 포인트였고 깨끗이 정돈되어 있었다.

"일부러 여기까지 와 주셨는데⋯⋯. 아무 것도 없죠, 이 주변은."

사모님은 택시 운전사 아저씨와 똑같은 말을 하고는 S씨가 실은 작년에 쓰러졌다는 이야기 등을 묻지도 않았는데 이야기해 주었다. 사적인 내용도 있어서 소극적으로 맞장구를 치는 나에게 "왜 이 일을 하려고 생각했어요?"라고 역취재를 해왔다. 역이 코앞이었으므로 대답할 겨를도 없이 감사 인사를 하고 차에서 내렸다.

사모님은 가장 가까운 신칸센역까지 바래다주었다. 서둘러 기념품을 사고 추하이와 녹차, 도시락을 사서 기차에 올라탔다. 도쿄에는 저녁 7시가 넘어서 닿았다. 모든 역에 정차하는 기차여서인지 차내가 텅텅 비었다. 드문드문 눈을 감고 있는 중년 남성들이 보일 뿐이었다. 장인의 기술은 이어지지 못하고 있다. 회사도 이을 마음이 없다. 기술을 익혀봤자 활용할 곳이 없다. 이 일은 3D 중에서도 가장 험한 일이라 일부러 하는 사람은 없지. 오늘 S씨가 거듭했던 말을 멍하니 떠올린다.

도착한 도쿄역은 금요일이라 그런지 퇴근하는 사람들의 술렁임과 여행을 떠나는 이들의 활기가 섞여 있었다.

월요일, 그 지역에서만 파는 한정 킷캣을 기념품으로 사갔는데 여직원들이 특히 좋아했다. 이거 정말 좋아해요, 하는 귀여운 말을 들었다. S씨의 녹음 데이터와 촬영 데이터를 체크한다. S씨가 말한 '영정'이라는 말이 떠올랐다. 미팅과 회의가 날마다 정신없이 이어져서 S씨의 원고를 완성한 것은 그 다음 주였다.

우리 할아버지도 기사로 나온 적이 있다. 할아버지 장례식 때 기사를 복사한 종이를 나눠주어서 그때 처음 알았다. 당연하지만 내가 모르는 할아버지 이야기가 실려 있었다. 누구에게나 뜻이 통하도록 표준어로 쓰여 있었는데 나는 할아버지가 표준어로 말하는 걸 들어본 적이 없다. 손에 든 그 기사를 다시 읽어 보아도 집필자의 정보는 없었다. 내가 쓴 이 취재 기사에도 서명은 하지 않는다.

먼 훗날 언젠가 찾아올 S씨의 장례식에서 내 원고는 '영정'이 될 수 있을까.

갑작스럽지만 할아버지의 기사를 소개하고 마무리 지으려 한다.

김의 색깔에 비치는 추억

어머니가 손수 만들어 주신 요리 중에 가장 먼저 떠오르는 것은 바로 '주먹밥'이다. 요리를 못해서는 절대 아니다. 그래도 나를 위해 아침 일찍 일어나서 쥐어 주는 주먹밥은 어떤 요리보다도 어머니의 맛이 응축되어 있는 것만 같다. 집집마다 크기와 형태, 재료는 다르지만 그것에 담긴 어머니의 사랑은 변함이 없다. 그런 주먹밥의 흰색을 돋보이게 해주는 것이 바로 밥이 입은 검은색 옷인 김이다.

김은 한류가 흐르는 곳에서 자라고 추운 계절에 수확한다. 기후가 너무 따뜻하면 잘 썩고, 너무 추워도 잘 자라지 않는다. 또 동해안은 조석간만의 차가 크기 때문에 충분히 바닷물에 담가 놓을 수가 없어서, 산리쿠三陸 지방과 아리아케有明 지방이 김 양식에 가장 적합하다. 아리아케는 산리쿠보다 바닷물이 따뜻하기 때문에 대체로 김의 색은 진하지만 맛이 진하지 않다. 한편 산리쿠는 바닷물이 맞춤하게 차갑고 만조 덕분에 김의 색도 맛도 완벽한 것이 특징이다. 어업이 번성한 미야기宮城현 이시노마키石卷시에서 평생 김을 만들어온 마모루 시로守 四郎 씨는 1925년에 태어났으며, 지금까지도 현역으로 활약하고 있다. 공장을 들여다보니 지금은 모든 작업을 기계로 한다. 수확한 김에서 불순물이나 다른 해조류를 제거하고 소독한 후 민물 세척을 거쳐 서서히 김을 작게 만들면서 정성스럽게 다듬는다. 그리고 건조기에 두 시간 정도 말리면 완성이다. 이 길을 50년간 걸어온 마모루 시로 씨는 수작업으로 김을 만들던 시절도 경험했다.

"옛날에는 김을 수정하는 작업을 자연에 맡겼지만 지금은 현미경을 이용해서 합니다.* 김을 몇 장 만드는 데만 하루 종일 걸리고 태양의 힘을 빌려 말렸지요.

* 예전에는 번식을 자연에 맡겼지만 이제 포자를 사람이 현미경으로 봐가며 인공적으로 한다.

지금은 자는 동안에도 정해진 양을 만들 수 있어요. 수작업을 기계화함으로써 질 좋은 김을 대량으로 만들 수 있게 되었고 10월 초와 정월 초하루 전에 이모작도 가능하게 되었지요."

곧 여든을 맞이한다는 마모루 시로 씨. 공장을 오가는 발걸음이 가볍다. "절대 양보할 수 없는 것은 김의 반질반질한 검정빛이에요."라고 말하고는 김을 들고 살펴보는데 맞은편에서 증손주가 손을 흔든다. 그 모습에 절로 미소가 번진다.

이번에는 마모루 시로 씨에게 김을 맛있게 먹는 법을 물어 보았다.

"요리로 만들어 먹기보다는 역시 구워서 그냥 먹는 게 으뜸이죠."

김의 천적인 습기를 물리치듯 오늘도 마모루 시로 씨의 바싹 마른 호통한 웃음소리가 공장 안에 울려 퍼졌다.

2

취재하는 중소기업 직종은 딱히 정해져 있지 않기에 철강업에서 서비스업까지 다양하다. '다양하다'고 말할 수밖에 없는 수많은 직업에 종사하는 사람들 또한 '다양'해서 취재라는 명목으로 갑자기 나타난 타인에 불과한 나에게는 그들의 길이 꽤 재미있는 드라마가 되기도 한다. 저기 형씨, 본인은 잘 모르겠지만 당신 정말 드라마틱해, 하며 사케라도 한잔 기울이고 싶어진다. 의외로 본인도 잘 알고 있을지도 모르겠다.

아키타秋田현에서 조부 대부터 안경점을 해왔다는 M오 씨를 방문했다.

법인이 운영하다 매각한 지방 철도역 가까이에 M오 씨의 안경점이 있다. 기차는 롱시트 2량 편성으로 어디 앉아도 모든 자리가 훤히 보인다. 맞선 열차로 활용해도 될 것 같다.

막 점심을 지난 시각에 탔는데 마침 하교 중인 고등학생들로 붐볐다. 같은 학교 남녀학생이 각자의 무리대로인지 서너 명씩 모여 있다. 멋진 남학생이 옆에 털썩 앉았다. 아이폰으로 음악을 들으며 눈을 감고 있다. 건너편 자리에서는 여학생이 동아리 이야기를 한다. 기차는 넓게 펼쳐진 밭 사이를 가로질러간다. 그 많던 고등학생은 무인역에서 삼삼오오 하차해서 목적지에 닿을 무렵 차 안은 텅텅 비었다.

시간이 조금 남아서 역에 비치된 관광 팸플릿을 한손에 들고 시내를 걸었다. 역에서 똑바로 이어지는 길을 가니 시청과 목조 학교 건물이 보였다. 건물은 단층이었는데 쇼와 초기에 지어진 모양이다. 등록유형문화재지만 지금도 초등학교로 쓰이고 있어서인지 멀리서 봐도 활기가 느껴졌다. 학교 주변을 빙 둘러 해자가 파여 있어서 물이 찰랑거렸다.

안경점은 역에서 도보 30분 정도 거리에 있었다. 지방도시에는 건물 간격이 넓은 전통적인 상점가가 형성되어 있는데 그 가게가 있는 곳도 그런 느낌이었다. 재

건축한 지 몇 년 되지 않는다고 했던 안경점은 유리면으로 뒤덮여 반짝반짝 빛났다.

가게에 들어가자 여성이 맞이해 주었다. "먼 데까지 와 주셔서 감사합니다. 도쿄에서 오셨죠? M오, 취재하러 오신다는 분 도착하셨어." M오 씨의 어머니였다.

곧이어 나타난 M오 씨는 가죽 점퍼와 가죽 바지를 입고 있었다. 키가 껑충하고 외모가 출중해서 밴드에 데뷔한 적이 있다고 해도 믿을 만했다. 잘 생기셨어요. M오 씨 팬이라 오시는 분들도 있죠? 하고 물어보니 "아니요. 그럴 리가요. 상대해 주는 사람은 아내 정도예요."라고 수줍어하며 방어했다.

가게의 기본 정보는 아는 범위에서 사전에 조사했지만 업무에 관여되지 않는 경력은 모른다. M오 씨의 연예인 같은 패션은 취향일지도 모르지만 경어도 올바르게 썼고, 말투와 태도가 공손하고 다정해서 분명 이유가 있을 거란 생각이 들었다. 실례를 무릅쓰고 "제가 시골 출신이라 느낀 건데 지방에서는 보기 힘든 품격 있는 접객이네요."라고 던져 보았다. M오 씨는 "전화를 받으면 정말로 N시에 있는 가게냐고 놀라는 경우도 있어요. 근데 그렇게 응대하도록 주입받았다고나 할까요……." 말끝을 흐리며 미소 지었다. 도쿄에서도 손꼽히는 고급 주택지에 있는 일류 안경점에서 5년 정도 수련을 쌓았다고 한다. "물건을 보는 눈이 높은 고객들뿐이었고 그런 분들이 좋다고 여기는 물건을 제공하는 게 제 일이었으니 정말로 질 좋은 물건을 다룰 수 있었죠. 많은 공부가 되었습니다." 그렇다. M오 씨가 말하는 안경은 내가 아는 안경과는 다른 것이다. 소재, 가공 기술 등의 이해, 브랜드에 대한 해박한 지식, 심미안. 돈이 없으면 알 수 없는 세계.

가게 안에는 남자 손님이 한 명 있어서 M오 씨의 아버지가 응대했다. 모두가 안경을 쓴다. M오 씨는 어릴 때부터 2대 째인 아버지가 고생하며 가게를 잇는 모습을 보고 자기도 그 길을 걷기로 결심했다고 한다. 대학을 진학한 친구들도 있었지만 M오 씨는 안경전문학교에 진학했다. 자영업을 이어받는 것은 대다수의 회사원이 보기에는 사회의 본선으로 이어지는 레일에서 벗어나는 듯 보일지도 모른다. 하지만 M오 씨가 경험해온 세계를 대다수의 회사원은 쉽게 경험할 수 없으리라.

렌즈에 관한 지식을 익힌 후 독자적인 렌즈를 공동 개발하여 특허까지 취득한 이야기를 하는 M오 씨의 말투는 무척이나 온화하고 겸손하다. 취재 막바지에 M오 씨에게 아버님과 나란히 서 달라고 부탁하여 사진 촬영을 했다.

"둘이 나란히 사진을 찍는 건 처음인 것 같은데."

계속 싱글벙글하며 취재를 지켜보던 M오 씨의 어머니가 명랑하게 말했다.

열차 시간까지 여유가 있어서 근처 관광 특산품을 파는 상점에 들러 이 지역 맥주를 샀다. 평일 저녁이어서인지 손님은 나 혼자뿐이었다. 돌아가는 길에 탄 지방선은 텅텅 비어 있었다. 기분 탓인지 속도도 빠른 것 같았다. 갈아탄 신칸센역에서는 다음 열차까지 30분 이상 남았다. 출장 온 걸로 보이는 회사원 다섯 명이 대합실에서 술잔치를 벌이고 있었다. 나는 에키벤駅弁을 사서 차에서 혼자 뒤풀이하기로 했다. 도쿄에 도착한 것은 밤 8시가 지난 시각이었기에 바로 집에 갔다.

장모님의 가업을 이어 기후岐阜현에서 식당을 운영하

는 Y씨를 찾아갔다.

나고야에서 기차를 갈아타고 가장 가까운 역에서 내리자 역 앞에는 해외에서 온 관광객이 드문드문 보였다. Y씨의 가게는 국도변에 있어서 택시를 탔다.

식당이 혼잡한 시간을 피하려고 오후 3시에 갔지만 가게 앞 주차장이 절반은 차 있었고 가게 안에는 드문드문 손님이 있었다.

"어서 오세요!"

카운터 너머 주방에는 30대 초반 정도의 남성과 50대 정도의 여성이 서 있었다. 남성은 내가 다 기분 좋아지는 미소로 "편한 자리에 앉으세요!"라고 말했다. 취재하러 왔다고 인사하자 안쪽의 작은 미닫이문에서 70대 전후로 보이는 남성이 나왔다. Y씨다.

문 안쪽은 15제곱미터 정도 되는 휴게실이었다. "죄송하지만 가게는 좀 그래서, 인터뷰 여기에서 해도 될까요?"

1층은 식당이고 예전에는 2층에서 살았지만 지금은 다른 곳에 집을 얻어 가게로 출근한다고 한다. Y씨는 몇 년 전 가게를 아들에게 물려주고 식당을 이어받기 전에 일했던 건축 분야의 지식을 살려서 특허를 취득했다고 했다. 그래서 이번 인터뷰에서는 그 어렵다는 특허를 취득한 경험과 노하우를 전하며 정보 교환을 하고 싶다고 했다.

"오늘은 도쿄에서 오셨나요?"라고 묻기에 "네. 나고야에서 갈아탔어요."라고 대답하자 Y씨는 "우리 아들은 게이오慶應 대학에 들어갔다가 가게를 잇는다며 돌아왔어요."라고 말했다.

식당 이야기도 기사 내용으로 다뤄야 하기에 Y씨의 아드님에게 간단한 취재와 촬영을 부탁했다. 카메라를 들이대건 그렇지 않건 아드님의 미소는 무척이나 훌륭했다. Y씨는 카메라를 들이댈 때만 수줍은 듯 웃었다.

"식당 이야기를 쓴다면 역시 먹어 봐야죠."라며 Y씨가 역 근처 가게에 재료를 사러 가야 한다는 아드님 대신 주방에 섰다. Y씨가 아름다운 움직임으로 면의 물기를 털고 그릇에 담는다. 간장 베이스의 국물, 흰 대파 채, 말린 죽순, 차슈 한 장. 심플한 주카소바中華そば● 다. "우리집 면은 잘 부니까 어서 드세요."라고 Y씨가 종용

● 일본식 라멘

하기에 얼른 사진을 찍고 주카소바를 먹었다. 맛있다. 질리지 않는다. 정말 맛있다. 예의 차리지 않고 한 그릇을 뚝딱 비웠다. Y씨의 장모님이 포장마차로 가게를 연후 이 지역 주민, 인근 현 주민, 운전기사들이 일부러 찾아와서 한번 먹어보면 계속 먹으러 온다는 이유를 알 것 같았다.

나는 평소에 라멘을 별로 먹지 않지만 이거라면 질리지 않고 먹을 수 있을 것 같았다. 맛은 깔끔한데 면도, 국물도 은근히 특징이 있어서 기억에 남을 맛이라고 하니 "장모님 맛이니까요. 내 나름대로 연구했지요. 면도, 국물도."라고 Y씨는 주방을 닦으며 말했다.

"우리집 주카소바 안 먹으면 고향에 온 것 같지 않다는 손님도 있어요."

손님의 발길이 끊이지 않았다. 태도로 보아 거의 대부분이 단골 느낌이지만 나와 Y씨의 대화를 보고 뭐야? 우와, 취재? 같은 말을 하는 사람은 아무도 없었다. 가게와 손님이 알맞은 거리감을 유지하는 것이리라. 맛있는 식사를 마친 후 잠깐 한숨 돌리고 이동했다. 어딘가 무뚝뚝한 Y씨의 모습을 반영하는 듯한 흐름의 취재였다.

취재를 마쳤으므로 택시를 부르려 했더니 Y씨가 비도 내리니 역까지 바래다준다고 했다. 역으로 향하면서 Y씨가 자주 듣는다는 외국 여성 가수의 CD를 틀었다. 바로 이 길에 아들의 가게가 있다고 가르쳐 주었다.

주카소바 맛이 정말 일품이어서, 또 오면 먹으러 가겠다고 진심으로 말하자 Y씨는 험악한 눈빛으로 중얼거렸다. "지금 다카야마高山 라멘이라고 팔잖아요? 그거 그 지역 사람이 하는 거 아니에요. 어느 기업이 상표 등록해서 파는 거지. 우리 지역하고는 전혀 상관없어요. 그걸 먹고 여기 맛이라고 생각 안 하면 좋겠어요." 취재에는 담담하게 응했던 Y씨가 이 순간만큼은 분한 감정을 드러냈다. 절대 안 살게요, 라고 약속하고 역 앞에서 내렸다. 비가 와서 어둑어둑한 저녁, 역은 관광객이 아닌 집으로 돌아가는 학생들로 붐볐다. 역 매점을 살펴봤지만 이 고장 특유의 물건은 없는 것 같아서 아무것도 사지 않고 열차를 탔다. 나고야역에서 내려 기시멘きしめん*을 먹고 신칸센에서 추하이를 마셨다. 곧장 집으로 갔다.

* 면발이 넓은 국수

3

취재는 거의가 당일치기지만 취재지의 상황에 따라서는 1박을 하는 경우도 있는데 그럴 때는 어깨춤이 나온다. 일 말고 숙박하며 멀리 가는 것이 거의 불가능한 근무 상황이라 특별할 것도 없는데 멀리 간다. 낯선 경치를 본다는 생각만으로도 기분이 들뜬다. 그 많은 회사원은 어떤 기분으로 출장을 떠나는 걸까?

한 달에 한 번이라도 회사를 떠나는 것만으로도 좋지, 하고 동료와 이야기한 적은 있지만 역시, 아니 당연히 드러내놓고 들뜰 만한 분위기가 아니다. 여행이 아니니까. 여행은 노동과는 별개니까.

홋카이도에서 창업한 O씨를 찾아갔다.

취재는 오전 중에 해달라는 부탁을 받아서 전날 숙

박했다. 이 좋은 기회를 놓칠쏘냐. 아침에 도쿄를 출발해서 도착한 시각은 점심이었지만 공항에서 또 한 시간 정도 버스를 타서 시내에는 2시 가까이에 닿았다. 공항에서 시내까지의 길은 자작나무 가로수와 끝도 없이 펼쳐진 감자밭이 있었다. 포테이토칩 봉투에서 본 광경이라고 생각했는데 나중에 O씨가 말하기로는 "이 주변 일대는 가루O*의 밭이에요." 북방여우가 돌아본다. 우와, 대단해. 북쪽 나라다.

호텔에 짐을 두고 관광안내소에 가서 팸플릿을 받았다. 이곳은 국내 굴지의 농업지대로 식량자급률 1,100퍼센트를 자랑한다고 한다. 몰랐다.

맛있는 가게는 어딜까. 명물은 부타동豚井**이라고 지인이 말해 주었기에 오래된 부타동 가게로 들어간다. 2시가 지났지만 가게 안은 손님으로 가득이다. 운 좋게 앉을 수 있었고 배를 두드리며 가게를 나왔다. 나오니 말이 있었다. 내일 밤, 근처 번화가에서 축제를 하는 모양이라 홍보하는 중이라고 한다. 말은 시내에 있는 경

* 일본 대형 제과회사 명칭인 '가루비'를 가리키는 것으로 추정
** 돼지고기 덮밥

마장 말인데 마차를 끌고 있었다. 직원 청년이 "자리 있어요!"라고 말을 걸어왔기에 탔다. 탄 사람은 중년의 한 쌍, 동아리의 친선 시합 때문에 왔다는 고등학생 남자애들, 나. 모두 우연히 지나다 여유가 있어서 탔다고 한다. 15분 정도 번화가를 한 바퀴 돌고 "당근 줘 보실래요?" 하는 말에 네, 네! 하며 당근을 주고 말 사진을 찍었다. 오늘 오길 잘했다.

다음 날 아침 O씨의 사무실에는 택시로 갔다. 역에서 차로 15분 정도 걸리기 때문이다. 시내는 바둑판처럼 반듯한 길이 나 있고 커다란 가로수가 이어지고 드문드문 공원이 있어서 예뻤다. O씨의 사무실 앞에도 공원이 있었다. 초인종을 누르자 O씨가 나타났다. "죄송해서 어째요? 이 먼 데까지 오시게 하고. 맛있는 건 좀 먹었어요?" 하고 자리를 마련해 주었다.

O씨는 원래 대학을 졸업하고 바로 들어간 농업 기계 제조회사에서 영업 일을 했지만 30년 넘게 계속 독립을 생각했다고 한다.

"일이 익숙해지잖아요. 그러니 내가 이리저리 해보고 싶다는 생각이 들더라고요. 내 마음대로 일하고 싶어진

달까. 그래도 있잖아요. 나 실적이 좋아서 그만 둔다고 했더니 몇번이나 말리더라고요. 후후후후."

밝고 붙임성 좋은 O씨는 회사에 다니던 때의 일, 절전형 기계로 창업하려고 생각한 경위, 궤도에 오르기까지 고생한 과정, 향후에 펼칠 사업 등을 즐겁게 이야기해 주었다.

기계를 도입한 고객을 꼭 만나 달라고 부탁해서 예정에는 없었지만 사무실에서 취재와 촬영을 마친 후 가기로 했다. "지금 가도 돼요?" 상대방에게는 O씨가 전화를 했다.

15분 정도 차를 타고 도착한 곳은 빵집이었다. 빵집 주인은 30대 전후로 보이는 남자였다. 빵집은 아내와 둘이서 꾸려가고 있다고 한다. 처음에는 조금 수상한 느낌이 들었지만 영업사원, 그리고 O씨의 인품을 보고 결정했다고. 딱히 사후 관리가 필요한 기계는 아니지만 영업사원도 O씨도 맛있다면서 빵을 사러 자주 온다고 한다. 나도 샀다. "그럼 또 올게요." 하고 O씨는 빵집 주인에게 고개를 푹 숙여 인사했다.

차에 타니 O씨는 "여기는 아들이 처음으로 영업 성

과를 낸 곳이에요."라고 말했다. O씨 회사는 뛰어난 영업사원 한 명, 신입 영업사원인 아들, O씨 셋이서 꾸려가고 있다고 한다. "괜찮으면 우리 회사 들어올래요? 언제든 좋아요." O씨는 웃으며 말했다. 그리고 모처럼 여기까지 왔으니 관광을 하자고 했다. 기본적으로 취재하는 곳에 신세를 져서는 안 되므로 고사했으나 어차피 운전대를 잡고 있는 사람은 O씨다. "몇 시 비행기예요? 두 시간 여유 있네요. 그럼, 그래야겠구나." 혼자서 이미 계획을 짜고 있다. O씨는 똑바로 차를 몰았다. 전망대에서 기념사진을 찍고 유명한 과자가게에서 기념으로 선물을 들려주었다. O씨 소유의 태양열 패널을 본 후 공항까지 데려다 주었다. 이건 무척이나 극진한 대접이라 너무 송구스러웠다.

"그럼 조심해요. 고생했어요. 원고 잘 부탁해요."

O씨는 양손으로 꼭 악수를 하더니 빵집 주인에게 했듯 꾸벅 고개를 숙여 인사했다.

회사에 가서 O씨가 관광 안내를 시켜 주었다는 것, 이 선물도 O씨가 사 주었다는 것을 상사에게 보고했다. "뭐, 거절해도 피할 수 없을 때도 있으니까." 상사는 웃으며 초콜릿을 먹었다.

수도권 교외에서 치과를 운영하는 D씨를 찾아갔다.

회사에서도 집에서도 한 시간 이상 걸리는, 평소에
타지 않는 노선이었다. 자살 사고 등으로 열차가 늦어
지는 경우도 있으니 서둘러 집을 나섰는데 열차는 순조
롭게 달려서 40분 전에 도착. 치과의 위치를 확인하고
근처 카페에 들어갔다.

점심은 지났지만 근처에 사는 사람들로 자리는 절반
정도 차 있었다. 뒷자리에서는 불량스러워 보이는 남자
둘이 최근 있었던 싸움에 대해 이야기하고 있다. 대각
선 앞자리에서는 80대 정도로 보이는 할아버지가 멍하
니 창밖을 바라보고 있다. 안에서는 중년 여성이 담배
를 손에 들고 휴대전화를 쳐다보고 있다. 금연석이 없
어서 연기가 자욱했다. 커피를 주문하고 경직된 분위기
의 가게 안에서 30분이 가기를 기다려 치과로 향한다.

치과의 문을 열고 들어갔지만 접수대에는 아무도 없
었다. 안녕하세요, 취재하러 왔습니다, 라고 말을 걸자
안에서 50대 정도의 예쁜 여성이 나왔다. 들어오세요,
하며 안내받은 곳은 가장 안에 있는 진료실이었다. 진

료석이 하나, 큰 화면의 PC 모니터가 있다. "안녕하세요. 어서 오세요." 하고 모니터 앞 의자에서 일어선 D씨는 한눈에 봐도 체육회 회원이라는 걸 알 수 있는 체격이었다. 명함을 건네면서 "바쁘신데 취재 시간을 내주셔서 감사합니다."라고 인사했다. 병원 안에는 이 방 외에도 아크릴로 만들어진 방이 하나, 벽이 없는 자리가 다섯 개 있었다. 정 가운데 자리에는 파스텔색의 핸드타월이 등받이에 걸쳐 있다.

"지금은 전부 예약제거든요. 오늘은 오전 중에 한 명만 있었어요. 여기에서 보여 드리고 싶은 이미지가 있으니 이걸 보면서 이야기 나눌까요?"

D씨는 치열 교정을 전문으로 하는 치과의사였다. 과거 같은 책자에 몇번인가 등장했으므로 다소 다른 느낌으로 기사를 구성할 필요가 있었다. "몇년 만에 나오시는 건데, 새로 시도한 일은 없으신가요?" 하고 이야기를 꺼내 본다.

"음 뭐, 맨 처음에는 이게 좋으려나."

D씨는 구강 엑스레이 사진을 화면에 띄웠다.

"이 가수, 알아요? 이것 봐요, 엄청 예쁘죠."

알다마다. 유명하지. 더구나 팬인 걸. 엑스레이 사진의 아름다운 치열을 뚫어져라 보고 있자니 "소개로 한 번 왔는데 내 전문은 교정이라서. 이런 사람에게는 필요가 없어요. 나를 필요로 하는 사람은 이런 사람. 여기다, 여기."라며 어떤 화면을 확대했다.

어떤 여성의 기록이었다. 엉성한 치열 확대, 이를 뺀 잇몸 확대, 임플란트를 해 넣은 곳 확대, 깨끗한 치열 확대. 치열의 변화로 불안에 휩싸여 있던 여성의 표정은 점점 밝아졌다.

"처음에는 말이죠. 이렇게 겁에 질린 얼굴이었어요. 근데 이를 고치고 나니 성격까지 밝아지는 거죠. 다들 얼마나 고맙다고들 하는지. 이분은 해마다 손편지를 보내요. 이거 봐요."

고급 편지지에는 손글씨로 감사의 말이 쓰여 있다.

"이런 사람 한둘이 아니예요."

이야기가 시작된 듯도 하고 끝난 듯도 한 느낌이다. 이대로는 제대로 기사를 쓸 수 없으므로 일단 구체적으로 새로운 시도에 대한 이야기를 시작해야 한다. 하지만 D씨는 보여주고 싶은 기사가 많이 있는 모양으로

20대에 전체 틀니를 한 여성, 80대에 새로 틀니를 맞춘 여성, 아내가 소개해서 틀니를 한 70대 남성, 그리고 또…… 끝이 없다.

D씨는 전체 틀니 전문으로, 잇몸의 볼륨과 착용감에 특별히 신경을 쓴다고 한다. 과거 취재기사에는 한때 십여 명의 치과의사를 거느리고 의원을 경영한 적도 있었다고 쓰여 있었다. 지금은 몇 명 정도의 선생님이 계세요? 라고 물으니 눈을 휙 피하고는 "나 혼자예요. 다들 열정이 없어. 못 따라오겠다는 거야. 자주 부딪혔어요." 하며 힘없이 말했다. 자기 자신을 실험대로 시행착오를 겪어왔다는 D씨가 인정할 만한 의사는 없었던 것이다. "우리는 보험진료를 하지 않아요. 나도 목숨을 걸고 하는 거니까."

D씨는 모니터에서 눈을 떼지 않고 "이거 봐요, 이 할머니. 이렇게 밝아졌잖아요. 맨날 '선생님, 나보다 먼저 죽으면 안 돼.' 그런다니까." 틀니의 비포/애프터 사진을 보여주고는 빙긋 웃었다. D씨의 틀니를 장착한 할머니는 수줍은 듯 미소 지었다. 예뻐지고 젊어졌다.

병원 내부와 D씨를 촬영하고 취재를 마쳤다. D씨는

"그럼 기사 잘 부탁해요. 아, 우리 아내도 내가 만든 틀니를 하고 있어요."라며 처음에 안내해 준 여성의 어깨에 손을 둘렀다.

역 주변은 한산했고 체인점 계열 술집 간판이 눈에 띈다. 통행량이 많은 도로에서 조금 떨어진 곳에서 취재가 끝났다는 것과 회사 도착 예정 시각을 알렸다. 회사에 돌아오니 내일로 미뤄도 될 잔업 외에 아무것도 없다. 하지만 D씨의 깊은 고독의 그늘이 계속 따라오는 것 같았다. 어디서든 떨쳐내고 싶었다.

4월

    피곤하니 술이 당겼다. 예전에 몇번 간 적 있는 G가의 바에 갔다. 지인이 킵 해놓은 병술이 있으면 몰래 마셔버려야지 했는데 없어서 소다를 탄 위스키를 주문했다. 바텐더와 잡담을 하고 있자니 단골손님이 하나둘 들어왔다. 재즈 팬이라는 아저씨는 "건너편 가게 있잖아. 거기에 있는 CD 내 거야!"라고 말하며 카운터 정중앙에 앉았다. 일본 전국의 재즈 카페를 돌며 특히 마음에 드는 가게에는 1년에 한번씩 꼭 얼굴을 비춘다고 한다. "이제부터 다녀올게!"라며 가게를 뛰쳐나간 취한 재즈 팬과 교대하듯 50대 정도의 남자가 들어왔다. 사장님과 편하게 이야기하는 걸로 보아 단골인 모양이다. 본업은 작가가 아니지만 출판사에서 의뢰를 받아 소설을 쓰는 중이라고 한다. "어떤 장정이 좋으냐고 묻기에

책방에 다녀왔어요. 난 이런 게 좋더라." 남자가 꺼낸 책은 지인이 작업한 철학서였다. 그 편집자를 알고 있다고 하니 남자는 갑자기 허물없이 대했다. 그래도 이름은 절대 못 가르쳐 준다고 으름장을 놓았고, 끝까지 발설하지 않았다.

그 다음 주 다른 요일에 바에 가자 사장님이 카운터에 서 있었다. 나는 명함을 건넸다. 가게 안에는 매주 같은 요일에 온다는 고등학교 교사가 있었는데 어느 중국요리점의 물만두가 기가 막힌다고 했다. 잠시 후에 이 가게의 이름을 지었다는 사람이 문을 열었다. 쇼효시書評紙의 편집자도 함께였다. 근황을 보고하고 요새 신경이 쓰이는 사건, TV 드라마, 칼럼 기사, 지인의 소문이나 시시한 우스갯소리 등을 했다. 아아, 역시 이런 대화는 재미있어. 잡담이 고팠다. 회사에는 마음을 터놓고 이야기할 사람이 거의 없다.

카운터 끝에 앉아 취객이 저마다의 자세로 앉아 사장님에게 말을 거는 모습을 보고 있노라니 마치 눈앞에서 연극이 펼쳐지는 듯한 기분이 들었다. 이런 구경을 하는데 술 한 잔에 2,000 엔이면 싸다는 생각이 들었다.

몇 년 전에 S사 관련 일로 신세를 진 나카사와ナカサワ 씨와 지인이 우연히도 지금 같이 일을 하고 있다고 하면서 한잔 하자고 했다.

나카사와 씨는 60대다. 정년퇴직 후 일주일에 3~4일 회사에 얼굴을 비추는데 어떤 의미에서는 살아 있는 전설 같은 존재로, 그를 따르는 남성이 무척이나 많다.

예전에 어떤 모임에서 모 대형 출판사 부장과 이야기하다 우연히 나카사와 씨의 이름을 얘기했더니 눈물이 그렁그렁해서 미소를 짓고는 "나카사와 씨는 잘 지내나요? 저도 신세를 겼거든요. 안부 좀 꼭 전해 주세요." 하고 신신당부를 했다.

관록이 넘치는 관리직의 눈에 눈물이 고이게 만드는 나카사와 씨는 비범한 매력이 있는 분이다. 남자가 반하는 남자랄까. 지인 남자에게 나카사와 씨를 소개했는데 그 친구도 나카사와 씨에게 푹 빠져서, 눈물이 그렁그렁한 눈으로 "또 소개해 줘야 해."라고 말했다. 나카사와 씨는 친하게 지내는 사장이 있는 레스토랑이나 바에 "가끔은 얼굴을 비춰줘야지."라며 데려가서는 그거 읽었느냐, 이건 들었느냐며 귀중한 대외비 정보를 적절히 섞어서 들려주었다.

나카사와 씨가 왜 우리를 데리고 다녔는지, G가에 찾아오는 지금의 나는 잘 안다. 근처 술집에서 X차까지 마신 후, 앞으로 나카사와 씨를 '드링킹 레전드'라고 부르자며 한껏 떠들고 나서 귀가했다.

오전에 인터뷰가 있어서 곧바로 인터뷰 장소로 향했다. 건물 입구에서 오늘 동행할 작가와 만났다. 그는 50대로 정치, 경제에 해박하고 주간지 기사나 단행본을 몇권이나 쓴 베테랑 작가다.

마치 라디오 진행자처럼 강약을 조절하며 타이밍 좋게 질문을 이어간다. 주어진 취재 시간에 딱 맞춰 마무리했다. 취재 후 "마치 라디오 방송을 듣는 것 같았어요."라고 말하자 "구성을 맡은 저자가 라디오나 TV 같은 미디어에 출연할 때 언제나 옆자리에 있어서 그런지도 모르겠네요."라고 대답했다. 함께 몇번인가 취재한 변호사는 그의 질문 방식이랄까, 이야기를 풀어나가는 방식이 좋아서 이 인터뷰가 기대된다고 진심으로 기쁜 듯 이야기했다.

골든위크*에는 달력의 빨간 날에 맞춰 쉬었다. 휴일에 먹기 위해 식빵을 사려고 회사 근처의 맛있는 빵집에 갔더니 직원이 갑자기 아파서 당분간 쉰다는 안내가 붙어 있다. 예전에 맛있는 빵집 봉지를 들고 있던 미조노쿠치 씨에게 가르쳐 주니 충격을 받은 눈치다.

---

* 일본에는 4월 말부터 5월 초까지 공휴일이 모여 있어서 이 시기에는 일주일 정도의 황금연휴가 있다.

5월

　교정지 크로스 체크를 위해 미조노쿠치 씨가 적어 넣은 붉은 글씨를 보니 묘한 교정기호가 있었다. 아무래도 클라이언트가 지적한 것을 그대로 옮겨 적은 모양이다. 《편집필휴編集必携》를 보고 정확히 쓰라고 했더니 집에 있단다. 지면 구성 방법도 묘해서 붉은 펜으로 교정하는 법과 구성에 관해 가르쳤다.

　계약직, 업무 위탁 등 계속 비정규직으로만 일해 온 나는 이른바 상사에게 하나부터 차근차근 가르침을 받은 적은 없지만, 경험이 없는 일은 소속된 곳에서 하나하나 배우며 일했다. 기초적인 것부터 그 회사에서나 익힐 수 있는 기술이나 방법까지 모든 일이 재미있었다. 이제 와서 생각해 보면 좋은 경험이라고 생각한다. 비정규직은 경험을 쌓기 어렵다고들 한다. 물론 맞는 말이기는 하지만, 다양한 회사에서 다양한 경험을 하는 게 좋아서 내 적성에는 맞았다.

업무량이 착실히 늘어갔다. 담당하는 홍보지 일 말고 공모도 맡았다. 회사와 오래 거래한 광고회사에서 제안이 오는데 대체로 리뉴얼 일이었다. 공모를 위한 회의는 두 번 정도 했다. 평사원 모두가 아이디어를 내고 그중에서 부장이 괜찮은 것을 조합하여 정리하는 식이었다. 야마우치 씨가 운세 페이지를 넣자고 제안했다. 별점은 흔하니 평소에 잘 접하지 못하는 점으로 하자며. 그러면 어떤 점이 좋겠냐고 묻자 "아무거나 적당히 꾸며서 쓰면 되지 않을까요?"라며 웃었다.

구리하라 야스시栗原康 씨의 신간 출간 기념 이벤트에 갔다. 구리하라 씨는 언제나처럼 변함없이 눈빛이 반짝거렸다. 지인들이 많이 참석해서 밝고 편안한 분위기였다. 우연히 내 마흔 살 생일이라는 사실을 안 구리하라 씨와 그의 친구가 백화점 지하에서 케이크를 사와서 축하해 주었다. 2차에도 참석했다. 역시나 성대했다.

6월

회사를 쉬었다. 반년이 지나야만 유급휴가가 나오기에 월급에서 제하지만 그래도 쉬고 싶었다.

어제는 P사에 다니던 시절 일을 통해 만난 후 계속 들어 온 밴드의 마지막 라이브 콘서트가 있었다. 그들을 통해 소중한 친구가 많이 생겼다. 몇년 만에 보는 친구도 많았지만 언제나 하던 뒤풀이 같은 분위기로 근황과 옛날이야기로 이야기꽃을 피웠다. 처음 만났을 무렵 초보였던 영상작가는 PV나 영화에서 활약하여 일본 아카데미상 최우수편집상을 수상했다. 레이블 오너는 수많은 인기 밴드를 키우는 유명한 사장이 되었다. 멤버들은 각자 꽤 인기를 끌며 활약하고 있다. 모두 같은 일을 계속해 왔지만, 상황은 달라진 것이다.

날이 밝을 즈음 3차가 끝났다. 구름이 가득 낀 이른

아침, 손을 흔들며 밴드 멤버들, 친구들과 웃는 얼굴로 헤어졌다.

　최근 오른쪽 눈이 지끈거려서 안과에 갔다. 안저 검사와 시야 검사를 받고 오른쪽 시야가 약간 좁아져 있다는 사실을 알았다. 큰 문제는 아니고 나이가 들어서 그런 거란다. "신경 안 쓰셔도 돼요. 그럴 나이니까." 원래 적었던 눈물이 예전보다 더 적어져서 안구 건조를 막는 점안액 외에도 안구 건조증 치료약을 처방받았다.

　가토 지아키かとう ちあき 씨와 오노 가즈야小野 和哉 씨의 본오도리 책 출간 이벤트에 갔다. 장소가 마침 출퇴근길에 있어서 들렀다. 제1부에서는 긴시초錦糸町 가와치온도河内音頭* 중진의 토크가 이어지고 제2부에서는 가와치온도의 춤을 연습했다. 50명이 들어가면 꽉 차는 가게 안에서 안과 밖, 이중으로 원을 만들어 연습했다. 열렬한 가와치온도 팬이 참가하여 서툰 참가자를 이끌

* 오사카 지역에서 본오도리에 맞춰 부르는 전통 노래

었다. 중진은 다리와 허리가 안정되어 있고 잘 익은 춤
을 선보인다. 멋지다. 땀에 흠뻑 젖었다.

7월

매년 연례행사가 된 자와 씨의 생일 파티. 마흔을 맞이하는 기념으로 작은 유람선을 빌려서 축하한다고. 시나가와역에서 약 30명의 참가자 전원이 집합해서 기획한 이들의 안내를 받아 택시를 타고 선착장으로 향했다. 참가자는 거의 자영업자로, 언뜻 보면 무슨 단합대회 같다.

저녁 무렵의 도쿄만에 드문드문 유람선이 떠 있다. 왠지 몰라도 유카타를 입은 젊은 여자들만 탄 배가 있었다. 여자들은 담소를 나누지도 않고 그저 뱃머리에 서 있었기에 "저 배는 영화 〈매드맥스〉에서 나오는 미끼야."라고 남자들이 들떠서 이야기했다.

배가 오다이바의 후지TV 정면 부근에서 시동을 끄자 장기자랑이 시작되었다. 클라이맥스에 이르자 자와 씨가 마이클 잭슨으로 분장하고 등장. 모두 웃느라 정신이 없다. 한여름의 송년회 같다. "저거 있잖아, 미래의 우리야." 예전에 쓰나시마綱島 온천에서 노래방 기계로 노래 부르고 사교춤을 추면서 여유롭게 술과 차를 마시며 노는 노인들을 보고 친구가 말했다. 계속 놀고 싶다.

첫 보너스. 지난 반년 간 이 보너스를 받으려고 죽자사자 일했다. 명세서를 보니 생각보다 액수가 적다. 보너스도 세금을 제하는구나. 한 번도 못 받아봐서 처음 알았다. 재량 노동제라서 기본적으로 야근수당이 없는데, 야근수당에도 못 미치는 액수다. 받는 돈이 적다고 생각하면 업무량을 줄이면 된다. 그래서 기타다 씨와 다케 씨는 서둘러 퇴근한 걸까?

조례에서 여름휴가를 꼭 쓰라고 장려했다. 사원 모두가 빠짐없이 휴가를 신청했고, 해외로 나가는 사람도 있었다. 나는 주말을 끼고 총 일주일 신청했다. 미조노쿠치 씨가 B부장에게 여름휴가 일정을 의논하러 가자

B부장은 다른 직원에게 폐를 끼치지 않는 일정이 맞느냐고 거듭 확인했다.

8월

안과에 갔다. 시야 검사 후 처방받은 점안액이 효과가 있어서 눈물이 늘었다. 지끈거리는 느낌도 거의 없어지고 충혈도 나아졌다. 계속 약을 처방받기로 했다.

작년에 공모에서 뽑혔다는 월간 홍보지 제작에 시동이 걸렸다. 그것에 맞춰 사내 체제가 변경되었다. 어느 사원이 어느 홍보지에 어느 정도 관여하는지, 일람표가 배부되었다. 나는 동시에 진행되어야 하는 정기 홍보지를 여러 개 맡았고 그 외에 단행본 책자도 만들어야 했다. 여러 편집부에 소속되어 있는 것과 마찬가지인 상황. 다시 말해, 바쁜 일이 이중삼중으로 겹칠 예정이라 쉴 틈도 없이 다른 일을 해야 한다는 말이다.

나는 계속 같은 월간 홍보지를 담당하면서 신규 홍보

지의 부편집장 지위를 맡았다. 그 외에도 기업 팸플릿 편집 제작, 인터넷 매체 원고 체크도 동시에 진행했다. 게다가 교칙본 편집 제작도 해야 한다. 거의 전 사원이 기존에 진행하던 업무를 계속하면서 신규 홍보지도 다소 보조하는 느낌인데, 미조노쿠치 씨, 지토세 씨의 업무량이 특히 많아졌다. 분배량이 다르다고는 하지만 거의 모든 매체에 관여하게 되면 일하다 혼란이 오지 않을까?

신규 홍보지는 A부장이 편집장, 나, 지토세 씨 3인 체제로 진행됐다. 광고회사와 디자인, 각 기획을 A부장이 결정하면 실무로 들어가는 식이었다. A부장이 예전에 알고 지내던 디자인회사가 디자인을 맡기로 했는데 대표인 마티스ᄀᄎ 씨는 엄청 문제가 많은 사람이라고, 요지 씨가 쓴웃음을 지으며 말했다.

P사에서 같은 국에 있던 지인과 술자리를 가졌다. 역에서 우연히 딱 만나서 조만간 한잔 하자고 이야기했기 때문이다. 서로의 근황, 최근에 있었던 인사이동과 퇴

직자, 회사 사람들이 별일 없이 일하고 있다는 것 등을 대충 이야기하고는 "예전에 만났을 때랑 또 달라졌어." 하며 바뀐 명함을 건넸다. 같은 회사, 같은 부서에서 계속 일하는 지인에 비해 나는 표류하는 느낌이다. 다음에는 다른 사람도 모두 불러 같이 마시자고 말하며 가게를 나왔다.

9월

　요지 씨가 쓴웃음을 지으며 말한 대로 마티스 씨와는 얼마 안 가 문제가 생겼다. 우선 지면의 레이아웃이 뒤죽박죽이었다. 공모에서 제출한 글자 수는 너무 적어서 기사로서 빈약하다. A부장, B부장 모두 글자 수가 어중간한 느낌이라고 해서 자세히 보니 지면 레이아웃이 고정되어 있지 않았다. 지면 전체를 구성하면서 원고 정리와 취재도 해야 한다. 상황을 이해하고 실제로 움직일 수 있는 사람은 나뿐이었다.

　긴 백발에 베테랑처럼 보이는 겉모습과는 달리 마티스 씨의 디자인은 최근에 취미로 시작했다고밖에는 생각할 수 없는 수준이었다. 디자인을 맡기면 서너 군데는 꼭 수정할 것이 계속 나왔다. 인쇄소로 보내는 데이터가 불완전해서 바로 대응해 달라고 연락을 했더니

"지금 이미지 데이터를 사려는데 포토 서비스가 △△카드가 아니면 결제가 안 된대요. 우리 회사에도 △△카드를 가진 사람이 없어서요. 어째야 하나, 하던 중이에요." "그렇게 오랜 기간이 있었는데 아직도 이미지 데이터를 안 샀다는 게 말이 됩니까? 어떻게든 해결해 주세요." 내 생각을 그대로 전달하고 전화를 끊었다. 세 시간 후에 완성 데이터를 보내왔다.

광고회사의 담당자는 50대의 쓰키지ツキジ 씨와 창간 이후 이 매체를 담당하고 있는 60대 야스후지ヤスフジ 씨 두 사람이었다. 야스후지 씨는 촉탁사원*이라 회사 규정으로 인해 이메일 주소가 없어서 용건을 목록으로 정리해 팩스로 보내왔다. 이유는 모르겠지만 그러고 나면 꼭 전화를 해서 같은 내용을 반복했다. 그러다 보니 30분은 수화기를 들고 있어야 하는 일이 잦았다. 방금 보낸 건 말인데요, 하고 야스후지 씨는 같은 내용의 전화를 몇번이고 걸어왔다. 일단 걸기 시작하면 멈

---

* 비정규직 사원을 말한다. 대개 정년퇴직 이후에 비정규직으로 다시 계약하는 경우 촉탁사원이라 부른다.

출 수가 없는 모양인지 최소 여섯 번은 연달아 전화벨이 울린다. "또 야스후지 씨예요." 전화를 바꿔주며 하는 소리에 사무실에서는 웃음이 터졌다. 앵무새처럼 똑같은 내용을 반복하기만 하는 전화를 받느라 일의 흐름이 끊기는 당사자로서는 웃을 일이 아니었다.

어느 날 오전에만 20번 정도 전화가 걸려온 적이 있었다. 이때는 역시 아무도 웃지 못했다. A부장이 광고 회사에 주의를 달라고 부탁하자 그쪽에서도 "그 사람은 좀……." 하는 반응이었다고 한다. 야스후지 씨의 전화는 다음 날부터 줄었지만, 이번에는 퇴근 후에 휴대전화로 걸어왔다.

잔업이 이어지고 있다. 회사에서 늦게까지 있는 멤버는 정해져 있다. B부장, 미조노쿠치 씨, 지토세 씨, 요지 씨, 나다. B부장은 저녁으로 먹으려고 싸온 도시락, 미조노쿠치 씨는 근처 마트에서 산 군고구마, 지토세 씨는 편의점에서 산 빵을 먹고 요지 씨는 근처에서 식사를 마치고 책상 앞에 앉는다. 하루 두 번 외식은 경제적으로도 타격이 있기에 몇번인가 도시락을 싸보기도 했지만 회사에서 나와 기분전환을 안 하니 더 힘들어서 관뒀다.

10월

 A부장은 신규 업무가 시작되면 3개월 동안은 세 명
이 담당을 맡게 된다고 말을 바꿨다. 처음에 의기양양
하게 내걸었던 전사원이 모든 업무를 두루 맡는다는 방
침은 어느 샌가 흐지부지됐다. 편집 제작비를 들이지
않기 위해 외부 발주를 최소한으로 줄이고 가능한 한
사내에서 원고를 쓰는 분위기가 되었다.

 지토세 씨는 자신이 제안한 기획 지면에 800자 정도
의 원고를 쓰기로 되어 있었다. 우선 내가 읽고 한차례
수정을 거쳐 A부장에게 제출한다. 사내 체제가 바뀐 후
지토세 씨와 미조노쿠치 씨는 B부장 앞에서 나란히 원
고 쓰는 법을 강습 형식으로 배우곤 했지만, 그런 풍경
은 어느 샌가 사라졌다. 일단 어떻게든 되겠지, 했지만
어떻게 되지가 않았다. 지토세 씨는 중학생이 제출하

는 감상문 같은 원고를 제출했다. 암울했다. 붉은 펜을 들 수조차 없는 단계였다. 뭘 수정해야 하는지, 뭘 참고하면 좋은지 설명하면 이해한 듯한 반응을 보이지만 수정해온 곳을 보면 전혀 그렇지 않다는 것을 알게 된다. 갑자기 가슴이 철렁해서 지토세 씨가 쓴 의뢰서를 보여 달라고 했다. '하게 해 주시기 바랍니다.'라는 표현이 연달아 나왔다.

그녀는 왜 이 일을 하기로 한 걸까?

"나는 부하직원 복도 없다니까." SM씨의 말이 고스란히 내 대사가 되었다. 물론 나는 본인 면전에서 말하진 않았다.

재계약 갱신이 되지 않아 퇴사한 후 SM씨의 말이 갑자기 떠오르곤 했다. 마치 나를 부수듯, 나 자신을 지워 없애듯 날아든 말. 이것은 상처일까? 상처였다면 낫지 않고 있는 걸까? 다시 떠올려도 아픔조차 느껴지지 않는다. 상처라기보다는 이제는 무늬 같다. 문신이다.

A부장과 광고회사로 회의하러 가는 길에 지토세 씨에 관해 이야기했다. 국어 능력이 현저히 떨어지는데 왜 채용했느냐고 묻자, 당초 사무직을 희망했는데 말투

가 정중해서 잘할 수 있지 않을까 싶은 마음에 편집자
로 채용했다고 한다. 고생을 사서 하는구나.

　다른 월간 홍보지 일을 할 여유가 없어서 B부장과 의
논했다. 마티스 씨 일이나 야스후지 씨와의 허무한 업
무 연락 등 상황은 이미 잘 알려져 있었기에 다소 줄여
주기로 했다.

　출장을 못 가게 되었다. 가고 싶은데 시간이 없다. B
부장은 "기분전환도 되고 출장 가는 게 좋지 않나?"라
고 말했다. 그렇게 된다면 얼마나 좋을까.

　자료를 찾기 위해 서점에 가자 누군가가 말을 걸어왔
다. 재계약이 되지 않아 그만둔 회사에 있던 KY씨였다.
KY씨가 있던 부서도 없어져서 회사를 그만두고 지금
다른 출판사에 다니고 있다고 한다. 우연히도 나중에
SM씨가 입사해서 지금은 함께 일한다고. SM씨와 마주
치는 건 역시 아직은 두렵다.

　기타다 씨와 함께 담당하는 기업 팸플릿 제작도 막바
지에 들어섰다. 기타다 씨에게 진척 상황을 전하자 자

신은 출장이 많으니 그럼 자기가 담당하는 지면도 맡아 줄 수 있냐고 했다. 기타다 씨보다 훨씬 늦게 퇴근하는 나에게 그럴 시간은 없다. 동시 진행하는 홍보지를 두 개 떠안고 있다는 것, 신규 매체를 구상하는 단계라 여유가 없다는 것을 전하자, "바쁜 건 다 마찬가지죠."라고 나를 혼낸다. 나는 담당하는 각각의 홍보지 업무 분담표를 꺼내 내가 지면을 몇개나 담당하는지 설명했다. 기타다 씨는 "그렇군요." 하며 자리로 돌아갔다. 자리로 돌아가면 어쩌란 말인가. 기타다 씨가 업무 분담을 희망했다고 B부장에게 보고하자 곧바로 "기타다 씨, 그냥 본인이 하지?"라고 지시해 주었다. 기타다 씨가 칼퇴근하는 것을 두 부장들은 곱지 않은 시선으로 주시하고 있었던 모양이다.

11월

음악가인 친구가 아이와 엄마를 대상으로 개최한 콘서트를 보러 갔다. 콘서트장인 초등학교 근처에 있는 버스정류장에서 내리자 아기를 데려온 남성이 있었다. 목적지가 같아 보여서 물어보니 역시나. 같이 공연장으로 향했다. 공연장에는 아저씨와 미혼의 청년을 제외한 사람들이 모여 있었다. 오리지널 곡 외에도 외국 민요가 연주되었는데 양쪽 모두 반응이 좋았다. 공연이 끝난 후 친구와 이야기를 나누는데 초등학생 여자아이가 다가왔다. 아이는 동경의 눈빛으로 친구를 바라보았다. "악수해 주세요." 이 아이의 기억에 내 친구가 소중한 존재로 아로새겨진 채 어른이 되어가는 건가.

업무량이 두 배 이상 늘어난 데다 마티스 씨의 말도

안 되는 대응에 거의 매일 전화로 화를 냈더니 피로가 눈덩이처럼 쌓여 있었다. G가의 바에 갈 힘조차 없었다. 나는 앞으로도 계속 화를 내야 하나? 정말 못해 먹겠다. A부장에게 디자인회사를 바꿔 달라고 요청했지만 오래 알고 지낸 사이니 적어도 3개월은 부탁하고 싶단다. 도저히 안 되겠어서 구체적으로 어떤 사태인지를 직접 보여 주었다. '마티스 씨는 제대로 레이아웃도 짜지 않고 '디자인'한다. 악의가 있어서가 아니라 어떻게 해야 할지 모르겠으니 지시를 해달라.'는 의미라고 했다. 당연히 일이 제대로 돌아갈 리가 없다. 이런 상황입니다, 라고 보여 주자 A부장은 "알았어. 이야기할게."라고 했다.

뒤이어 일을 해 줄 디자인회사, 혹은 DTP 제작회사를 찾아야 했는데, 작년에 무기 군의 송년회 때 알게 된 하타야마ハタヤマ 씨의 얼굴이 곧바로 떠올랐다. 회사가 근처였을 터. 곧바로 하타야마 씨에게 연락했다. A부장에게 소개하고 당장 다음 달부터 디자인을 부탁하기로 했다.

그 맛있는 빵집이 다시 문을 열었다. 반년 만이다. 연휴 전에도 안내문이 계속 셔터에 붙어 있었기에 어떤 상황인지 전혀 알 수 없었다. 그래서 가게에 불이 켜진 것을 보니 진심으로 기뻤다. 문을 열자 아주 약간 곰팡이 냄새가 났다. 가게 문을 다시 연 지 얼마 안 된 분위기다. 늘 사던 빵이, 종류는 많지 않지만 여전한 모습으로 진열되어 있다. 계산을 할 때 언제 다시 문을 열었느냐고 묻자 오늘부터라고 했다. 점원에게서 피로랄까, 초조한 기색이 엿보였다. 나도 모르게 "기다렸어요. 힘내세요."라고 말하고 말았다. 점원의 눈이 동그랗게 커졌다.

12월

하타야마 씨와의 일은 순조로웠다. 마티스 씨와 일할 때는 이틀은 걸렸던 것이 한 시간도 걸리지 않았다. 하지만 이게 정상이라는 사실을 깨닫고는 나는 대체 얼마나 '밑바닥'을 본 건가 싶어 슬퍼졌다. 서서히 목숨을 깎아먹듯 에너지를 소모하게 되는 마티스 씨와의 업무, 야스후지 씨의 끝없는 전화, 대답은 잘하는 지토세 씨의 발전 없는 원고. 그런 것에 쫓기다 보니 월세와 맞바꾼 내 시간을 시궁창에 버리는 기분이 들었다.

혹시 SM씨도 이런 기분이었을까. 생각대로 움직이지 않고, 결과적으로 말을 듣지 않는 무능한 부하직원.

"나 말이야, 신경 안 쓸 때는 정말 신경 안 써. 하지만 모처럼 내 밑에 와 준 사람이니까, 하는 마음에 이러는 거야."

그때는 무엇을 어떻게 하면 좋을지 도저히 알 수가 없었다.

"내가 친절해서 하는 말이야."

SM씨는 이런 저런 이야기를 해 주었다.

전에 다니던 회사에서 인사이동이 결정되었을 때 SM씨는 쓴웃음을 지으며 "아무 것도 못하는데 이대로 다른 부서 이동은 곤란하죠."라고 말했다. 저자에게 편지 쓰는 법, 미팅할 때 갖춰야 할 서류, 홍보용 서류 등을 검토해 주었다. SM씨가 붉은색으로 체크한 부분을 반영하고, 나도 스스로 고민해서 다시 확인을 받았다. SM씨가 자신이 체크한 부분에 다시 체크해 놓은 것을 보고, 내가 "그건 SM씨가 아까 고친 곳인데요."라고 참견하자 "고치기로 결정한 건 너잖아."라고 답했다. 서류는 고치기 전과 비교하면 급이 달라질 정도로 좋아졌다.

SM씨는 지금 진행 중인 업무 진행표를 펼치고는 아직 내가 경험해 보지 않은 과정을 설명해 주었다. 나는 업무 진행표 복사본에 빼곡히 메모를 했다.

다른 부서로 이동한 후 곧바로 상사의 기획을 두 건 맡게 되었다. SM씨가 설명해 준 것을 떠올리며 했다.

꼼꼼하게 상사에게 보고하고 확인받았다. SM씨 때문에 힘들어할 때 읽었던 야마다 주니山田 ズーニー의 저서 《업무를 위한 커뮤니케이션 능력働く ための コミュニケーションカ》에 쓰여 있던 조언을 실행했다. SM씨에게는 할 수 없었던 것을 할 수 있었다.

공모를 위한 회의를 했다. 다케 씨는 "난 역시 이게 재미있다고 생각해."라며 지난번과 같은 기획안을 다시 냈다. 다케 씨는 매번 같은 기획안을 내기에 이야깃거리가 되는 모양이다. 내가 보기엔 그저 땡땡이치는 걸로만 보이는데 다들 웃는다.

회의를 하고 며칠 후, 평소에는 칼퇴근을 하는 다케 씨가 공모를 위해 밤을 새우며 자료를 만들었다고 한다. "우와, 수고했어! 어제 사무실에서 밤 새웠어?" "어머나, 수고가 많았어요." "오늘은 빨리 퇴근해요." 수많은 위로의 말을 건넨다. 1년에 한두 번 회사에서 밤을 새우면 평가가 높아진다.

두 번째 보너스를 받았다. 업무량이 늘어난 만큼 월급

은 조금 늘었지만 업무량에 비하면 역시 적다. 야근수당을 지급하지 않는 이유는 '능력도 없는 놈이 오래 걸려서 하는 일에 돈을 주는 것은 바보 짓'이기 때문이라고 한다. 내가 경영자였더라도 같은 생각을 했으리라.

송년회는 회사 근처의 일본식 요리집에서 했다. 야마우치 씨가 도맡아 준비했다. 원고를 넘기느라 분주했던 나와 기타다 씨는 늦게 도착했다. 방금 전 밤을 새우느라 컨디션이 좋지 않아서 "이 원고 늦을 것 같은데 괜찮아요?" 했던 다케 씨가 마스크를 벗고 얼음에 탄 소주를 마시고 있었다. 미조노쿠치 씨와 지토세 씨가 돌아다니며 술을 따라준다. 야마우치 씨가 "미조노쿠치 씨도 많이 컸네요. 능력은 없지만 사람은 다 자기 자리가 있는가 봐요."라고 웃으며 말했다.

입사한 지 곧 1년이 되므로 면담을 한다고 한다. 나는 퇴직 의사를 전했다. 당장 다음 달에 하고 싶었지만 인수인계도 해야 하므로 의논하니 두 달 뒤에 하라는 말을 들었다.

조례에서 내가 그만둔다는 사실이 전달되었다. 누구

하나 놀라지도 아쉬워하지도 않는다. 평소의 업무 보고를 듣는 것과 마찬가지로 모두가 '흠, 그렇구나.' 하는 표정으로 듣고 있다. 익숙하다.

입사 초기부터 '면역'을 키워 준 마리 씨와는 가끔 술집에서 푸념을 나누기도 했다. "아직 괜찮아?" 보너스를 받아보고 싶다고 늘 말했던 나에게 "만약 그만둔다면 이즈음에 보너스가 나올 테니 그때까지는 잠자코 있는 게 좋아."라고 조언해 주었다. 아주 조금만 시기를 잘못 잡으면 받을 돈도 못 받게 된다. 마리 씨는 그만두는 사람들이 어떤 이유, 상태로 회사를 떠났는지 이야기했다. 공통점은 대부분 업무 내용에 불만은 없었다는 점, 문제는 그 외의 것에 있었다는 점. 지시와 분배. 한마디로 상사나 동료와의 인간관계로 결부된다. 각자의 능력, 자존심이 얽혀서 일을 복잡하게 만든다. 무엇을 위한 일이란 말인가. 사내 체제가 바뀌고 얼마 지나지 않아 마리 씨는 미조노쿠치 씨를 제대로 사람 만들겠다고 선언했다. 관리자도 아닌 마리 씨가 자주적으로 움직인 것은 '이제는 제대로 일해 주지 않으면 정말 곤란'하기 때문이다. 버블 세대인 마리 씨는 맡은 일은 확실히 하고 대신 휴가도 확실히 쓰는 것이 모토였다. 시기를 정하여 커리큘럼을 짜서 일을 정리하고 일대일 지도를 했다. 미조노쿠치 씨는 잘 따랐다. "오오, 열심히 하네." 상사들은 응원했다. 박수를 쳤다. 누군가 알아주길 바라고 한 일은 아니었다고 하지만, 마리 씨는 제대로 평가를 받지는 못했다. 관리직으로 승진한 사람은 박수를 치던 야마우치 씨였다. 무엇이 기준일까? 회사란 무엇일까? 이 공동체가 아니면 안 되는 이유가 내게는 없다. 이 회사에서 새로 익힌 기술이나 얻은 인맥은 거의 없었다. 오히려 내가 가진 것을 제공했다.

건강 검진은 지자체에서도 받을 수 있다. 연금 제도에 거는 기대는 없다. 보너스가 잔업수당에 미치지 못하는 상황이므로 정사원으로 일하는 메리트도 그다지 없다고 느낀다. 정직원으로 이 회사에 다니는 이유를 굳이 찾는다면 그건 회사 안이 아니라 밖에 있다. 대출을 받아야 할 때처럼 말이다. 사회에 내 신용을 보증해야 할 필요가 없는 한 내가 무엇을 우선순위에 두고 일하고 싶은지를 깨닫지 않을 수 없었다. 그만둘 시기를 정했을 때 입사서약보증서에 사인해 준 남동생의 얼굴

이 떠올랐다. 미안하다. 이사 가는 셈이야, 라고 말하면
이해해 줄까?

마리 씨는 당분간 여기에서 일할 것 같았지만 그게
언제까지일지는 모른다.

1월

새해가 되자마자 신입사원이 두 명 들어왔다. 한 명
은 20대 남자로 출근시간 20분 전에 나온다. 일주일 후
에 입사한 또 한 명은 20대 여자인데 평범하게 출근시
간 전에 왔지만, 며칠 지나자 남자 신입사원처럼 빨리
출근하게 되었다. 누가 지시한 것이 아니라 본인이 선
택한 것이지만 쓸데없이 무리할 필요 없는데. 둘 다 이
일에 경험이 없다고 하는데 일하는 모습을 보면 일에
관심도 있고 습득도 빠른 듯했다.

미조노쿠치 씨보다 내가 낫다는 태도였던 지토세 씨
도 금세 제칠 테니 직원들의 사내 카스트는 곧 바뀔 듯
했다. 지토세 씨는 뭐가 힘든 건지 몸이 안 좋다며 쉬
었다.

아닌 밤중에 홍두깨. 기타다 씨도 나와 같은 달에 퇴사한다고 한다. 지병을 이유로 들었는데, 빨리 퇴근하는 것이 그런 이유였다면 말해 줬으면 좋았잖아. 제대로 인수인계를 하지 않은 모양이라 내가 다음 담당자에게 인수인계하게 되었다. 기타다 씨는 인사도 없이 어느 샌가 사라졌다.

내 업무는 야마우치 씨가 맡게 됐다. "도와주세요."라고 부탁하기에 조언해 주었더니, 어느새 득의양양한 원래 얼굴로 돌아갔다. 내 조언을 자신의 경험인 양 신입사원에게 떠들었다. A부장은 "우리 회사는 제작비를 기준으로 담당자를 증감하는 방침이므로 이 매체 담당 직원은 세 명 이상으로 늘릴 수 없다."고 했지만, 내 퇴직이 결정되자 3인 체제에서 전사 체제로 바뀌었다. 직원 모두 회의에 참석한다. 아무래도 '리서치'의 나날이 시작될 모양이다.

광고회사에 퇴사 인사를 하러 가자 "내가 싫어서 그만두는 건가요?" 정면에 앉은 야스후지 씨가 말했다. 야스후지 씨는 올해 재계약이 되지 않아서 곧 퇴사한다고 한다. 쓰키지 씨는 "이제 겨우 낯 좀 익었나 했는데……." 하며 아쉬운 듯 배웅했다. 사소한 위로지만 기뻤다.

2월

　R씨와 술을 마셨다. A부장이 야스후지 씨 때문에 꽤
나 고생시켰으니 식사라도 하자며 스케줄을 비우게 하
고 날짜까지 정해 놓고서 직전에 갑자기 취소했다는 이
야기를 하자 "뭐야, 그게. 너무하네!"라며 화내 주었다.
이 회사에 있으면 화나는 일투성이다.

　마지막 출근일. PC도 자료도 모두 정리하고 우선 사
무실에 있는 사람들에게 잘 지내라는 마지막 인사를 돌
았다. 거래하던 큰 회사가 부도가 나서 그 쇼크로 잘 지
낼 수가 없는 사람, 원고를 쓰느라 초조해서 목소리를
못 내는 사람, 언제나처럼 웃는 얼굴인 사람, 피로가 배
어나오는 신입사원. 미조노쿠치 씨가 안 보였지만 어쩔
수 없다. 이 근처에 오는 일은 이제 없겠다 싶어 맛있는

빵집에서 빵을 원 없이 잔뜩 사서 집에 가려고 가게로 들어갔더니 미조노쿠치 씨가 있었다.

"간식 사러 왔어?"

내 목소리에 미조노쿠치 씨가, 어머낫! 하며 펄쩍 뛰었다. 이별의 선물로 미조노쿠치 씨가 맛있다고 강조했던 브라우니를 사서 가게를 나오니 그녀가 기다리고 있었다.

"저, 이거 드리려고요."

내민 봉지에는 초코 고로케와 호두 초코빵 등이 들어 있었다. 나도 이거 줄게, 하고 브라우니를 내밀자 미조노쿠치 씨의 눈에 눈물이 그렁그렁 차올랐다.

마치 마음의 문을 닫아 버린 듯 언제나 밝은 미조노쿠치 씨가 조금 걱정됐던 나는 "너무 무리하지 말고 자기 자신을 소중히 해."라고 말했다. 나는 내 시간을 시궁창에 버리지 않기로 했다. 무리하지 않을 거다. 나 자신을 소중히 하고 있는지는 모르겠다. 잘 지내. 서로 빵이 든 봉투를 손에 들고 미조노쿠치 씨는 회사로, 나는 역으로 향했다.

밤, 이스미 씨, 가니시カ一ニシ 군과 술을 마셨다. 같은

빵집 봉투를 두 개 들고 있는 것을 신기하게 생각한 가니시 군이 그게 뭐냐고 묻기에 아까 있었던 일을 이야기했다. "뭐예요. 자기 자리 있었네요, 뭘." 가니시 군이 웃었다. 빵은 전부 혼자 먹었다.

3장

마흔하나 백수 일기

2016년 3월 – 2017년 3월

3월 1일

   이대로 아무 일도 없이 하루하루가 지나면 백수구나 하고 생각했는데, 정말 아무 일도 없이 지났으므로 오늘부터 백수다. 13개월 만에 다시 실직자가 되었다. 특별히 인생 설계를 하며 사는 건 아니지만, 이 나이쯤 되면 나름대로 일은 하고 있지 않을까 생각했기에 아무것도 결정되지 않은 이 상황이 당혹스럽다.

   비정규직 인생에서 기념할 만한 첫 정직원이었는데도 1년 만에 그만두었다. 사실 결정한 것은 입사한 지 2주가 지날 무렵이었다. 그 마음이 결국 뒤집히는 일 없이 시간은 흘렀다.

   1년이라는 기간을 정한 것은 헬로워크 직원의 '1년만 애써보라.'는 말이 생각나서였고, 다음 일을 구하지 못했을 때 실업급여를 받기 위해서였다. 그것이 올바른 생각이었는지 모르겠지만 결국 실업자가 된 지금은 퇴직증명원이 오기만을 기다리고 있다.

3월 XX일

일로 신세를 진 하토야마 씨가 위로회를 열어 준다고
했다. 공통의 지인인 무기 군 등도 초대했다고. "술은
무제한이니까 눈치 보지 말고 마셔요." 거침없이 병맥
주를 시키는 하토야마 씨가 "어디 여행이라도 안 가요?
오키나와라든가?"라고 물었다. 예전부터 가고 싶었던
남쿠릴열도 크루즈 파격가 여행이 떠올랐지만 갈 수가
없다. 돈이 없다. 개인 사정으로 인한 퇴직이므로 일이
정해지고 수입이 들어올 때까지, 혹은 실업급여를 받기
까지 3개월간, 얼마 되지도 않는 저금으로 생활해야 한
다. 회사 사정으로 퇴직할 경우에는 이르면 다음 달부
터 실업급여가 나온다. 이 3개월이란 시간 차는 경제적
으로도 심리적으로도 힘들었다. 마치 벌을 받는 기분이
다. "오늘은 내가 내는 거예요."라는 하토야마 씨에게

가능한 한 깊숙이 허리를 숙여 인사를 한 후 병맥주를
마구마구 주문한다. 맥주를 모두 비운 후 삼삼오오 헤
어졌다.

3월 XX일

가니시 군, 이스미 씨. 2년 정도 만에 만나는 지인들
과 술자리. 퇴직 축하를 받았다. 지인 중 한 명이 소설
을 쓰기 위해 잡지편집 일을 그만둔 지 반년 정도가 되
었다고 한다. 주오센中央線 철도 옆에 있는 유명한 스파
게티집에서 아르바이트를 한다고 한다. 최근 쓴 글은
소설이 아니라 노사카 아키유키野坂 昭如의 작품해설이
었다는 말에 거절 당할 각오를 하고 교정을 시켜달라고
담당자에게 연락했다.

3월 XX일

교정 일을 맡게 되었다. 노사카 아키유키는 1950년
대 초반에 딱 스물둘에서 스물다섯까지 꽤 여러 가지
아르바이트를 했다고 한다. 가짜 DDT 판매, 개 씻기
기, 장작 패기, 이삿짐 나르기, 스트립쇼 지방 순회, 악
보 베끼기, 미키 도리로三木 鷄郎 음악사무소 사무원을
거쳐 '농담 공방'으로. 같은 시기에 몰래 CM송을 만들
다가 미키 도리로에게 걸려서 잘렸다고 한다.

3월 XX일

　퇴직일로부터 2주가 지났지만 퇴직증명원이 오지 않는다. 너무 늦는 거 아니야? 담당자에게 물어보니 "헉, 아직 안 갔나요?"라고 놀라며 곧바로 사회보험노무사에게 확인해 주었다. 노무사가 다음 날 도착하도록 보내겠다고 했지만 점심이 지나도 도착하지 않아서 송장 번호를 물어보았다. 결국 퇴직증명원을 받은 시간은 저녁. 동봉된 서면에는 송부가 늦어진 것을 사과하는 말 한마디가 없었다. 아, 열 받아.

3월 XX일

헬로워크에 갔다. 1년 전과 달리 접수대에 있는 연필은 몽당연필이 아니었고 볼펜은 잉크가 잘 나왔다. 오오, 개선되고 있구나. 누가 얘기라도 한 걸까?

퇴직증명원을 제출하고 다음 방문일 등 설명을 듣는다. "수고하셨습니다." 하고 헬로워커들을 배웅하는 창구 직원이 필요 이상 허리를 숙여 인사한다는 기분이 들었다.

3월 XX일

　친구 생일 파티가 공원에서 열렸다. 오전에는 스케이드보드 타기, 오후에는 피크닉, 연날리기, 저녁에는 목욕탕에서 땀을 흘리고 만두집에서 마무리하는 일정이라고 했다. 평일 낮에 자유롭게 움직일 수 있는 사람은 얼마 되지 않지만 지금의 나는 갈 수 있다. 오후에 공원에 도착하니 자영업을 하거나 정해진 일이 있다고 해야 할지 없다고 해야 할지 모를 지인들이 돗자리에 널부러져 있었다. 와인을 따고, 가져간 도시락을 나눠 먹고, 단체 줄넘기를 했다. 평일인데도 시간을 원하는 대로 보낼 수 있는 방탕한 삶이라니. 이 얼마나 사치인가. 하지만 다른 친구들은 모두 있는 힘껏 논다. 정기휴일 없이 일하는 사람 입장에서는 마음먹고 내는 휴일이기 때문이다. 저녁이 되자 일을 마친 회사원들도 속속 집합했다.

3월 XX일

　헬로워크에 갔다. 고용보험설명회에 참여하기 위해
서다. 1년 전에 들은 설명을 다른 기분으로 들었다. 무
거운 마음. 실업급여 수급까지 3개월 안에 일을 찾을
수 있을까? 얼마 안 되는 저금, 아무리 긍정적으로 생
각하려 해도 아슬아슬하다.

　이 날 회장에는 50명이 안 되는 사람들이 모였다. 남
녀 비율은 반반, 연령층도 미리 짠 듯이 다양했다. 또
커플 실업자도 있었다. 둘 다 조용히 '고용보험수급자
격자 안내'를 읽고 있다.

　비가 쏟아질 것 같은 날씨 탓인지 기분 탓인지 전체
적인 분위기는 어둡다. 직원이 직종에 따라 유효구인배
율에 큰 차이가 있다는 설명을 할 때, "저기, 대체 무슨
말이죠?" 맨 앞 줄 한가운데 앉은 50대 정도의 여자가

물었다. 엇, 정책 비판인가! 라고 생각했지만 그저 배율
계산법을 모르는 모양이었다.

4월 1일

지인 집 옥상에서 꽃놀이 겸 바비큐 파티를 했다. 메인에 해당하는 먹을거리는 누군가 준비해올 것 같은 예감이 들었기에 왕도를 벗어나 채소와 시드르를 가져갔다. 예상은 적중했다. "이세탄伊勢丹*에 당했어." 모기 씨가 테이블에 올려놓은 것은 물 좋은 새우와 소금을 찍어 그냥 먹는 게 좋을 것 같은 두부, 점원이 추천한 화이트와인, 레드와인, 그 외에도 다양한 맛있는 것. 불 보듯 뻔한 부의 재분배. 만취.

앞으로도 꽃놀이 일정이 줄줄이 있다. 회사 동료나 일로 엮인 사람은 한 명도 없고 친구들과 마음을 터놓고 이야기할 수 있는 즐거운 모임뿐이다. 하지만 그렇다고는 해도, 술자리에 참여하는 만큼 돈이 든다. 경제

* 일본의 대형 백화점

적으로 힘들지만 각 꽃놀이의 경향과 대책을 생각해서
예산을 최대 3,000 엔으로 잡고 모든 자리에 참석하기
로 했다.

4월 XX일

도쿄도 내의 공원에서 시노 짱 부부, 그리고 다른 친구와 꽃놀이. 벚꽃은 만개했다. 쌀쌀한 날씨인데도 불구하고 사람들로 북적인다. 시노 짱 집이 공원 근처니 손수 만든 안주를 준비해 줄지도 모른다. 그 외에도 아이들을 데리고 몇 쌍의 부부가 온다고 했으니 그들은 주먹밥 같은 것을 싸올 터이다. 그렇다면? 마른안주에 특화하는 거다. 약간의 불량이 있어서 싸게 파는 감자칩(대), 마른오징어, 카레맛 가키피柿ピー*, 무기 군에게 퇴직 축하 선물로 받은 과일맛 초콜릿 등. 과연 내 예상은 적중했고, 각 부부가 만든 소풍용 도시락이 하나둘 펼쳐졌다. 당당히 마른안주를 꺼낸다.

* 과자 이름

4월 XX일

헬로워크에 갔다. 직업강습회 때문이다. 예전에 함께였던 50대 정도의 여성이 역시 맨 앞줄 한가운데 앉아 있었다. 오늘도 선명한 핑크색 다운재킷을 입고 있다. 배율에 대한 의문은 풀렸을까?

DVD로 고용보험이란 무엇인가, 헬로워크를 이용하는 방법 등의 설명을 들었다. 열심히 보았다. 개인 사정이라는 것은 '정당한 이유'가 아니라고 한다. 누구에게 정당한 이유란 말인가? 재계약을 못해서 그만둔 회사는 36협정協定*을 맺은 곳이었는데, 그걸 넘겨 일하면 병이 안 걸릴 수가 없겠다 싶은 노동 시간이 정해져 있었다. 협정 기준을 넘길 만큼 일하는 사람은 없었고, 개정 시

---

* 일본의 노동기준법 35조에 근거한 노동 협정. 업무 시간이 1일 8시간 주 40시간을 넘기는 경우 필요하다.

간에 이의를 제기하는 사람도 없어서 그냥 유지된다고 들었다. 정신과 육체가 상해서 더는 돌이킬 수 없는 상태가 아니면 책임지지 않겠다는 말인데, 그건 '소 잃고 외양간 고치는' 셈이 아닌가? 누구도 예방해 주지 않으니 스스로 할 수밖에 없어서, 어쩔 수 없이 퇴사를 선택하는 사람도 있으리라.

4월 XX일

　생활요금 청구서가 도착했다. 생각보다 꽤 나왔다. 거의 매 끼니를 집에서 해 먹으니 물도 가스도 사용량이 늘었기 때문이다. 하지만 동시에 회사원 시절에 비해 외식이 꽤 줄었고, 할인 상품을 확실히 손에 넣을 수 있어서 식비가 줄었다. 일을 하기 때문에 느는 지출과 백수이기 때문에 줄어드는 지출이 있다.

4월 XX일

　교통비 절약과 건강을 위해서 웬만한 장소는 걸어 다니기로 했다. 하루 만 보를 목표로 만보계도 찼다. 마침 지금은 벚꽃이 피는 계절이라 걸어서 다니기에 즐겁다. 근처 공원에서는 대학생, 나이 든 부모와 자식, 젊은 부모와 자녀가 꽃놀이를 하고 있다. 벚꽃길은 주민의 민원이 좌우하는 건지, 가지가 훌륭하게 뻗은 벚꽃길이 있는가 하면 가지치기를 많이 해서 거의 가지가 없는 나무가 늘어선 길도 적지 않다. 광장에 있는 느티나무가 아무도 손이 닿을 수 없을 만큼 크게 자라 신록이 바람 부는 대로 흔들리고 있다. 아아, 기분 좋다. 진심으로 이런 기분이 들어서 놀랐다. 작년에도 같은 풍경을 봤을 텐데 이런 기분이 들지는 않았다.

4월 XX일

시케シケ 씨의 레스토랑이 1주년을 맞이했다. 미야카
와 씨가 꽃다발을 같이 선물하지 않겠느냐고 연락해왔
다. 흔쾌히 그러자고 했다. 이로써 나도 멋지게 축하할
수 있다. 오픈 시간이 얼마 지나지 않아 가게 문을 열었
는데 이미 손님이 한 명 와 있었다. "프리랜서 편집자예
요." 시케 씨가 소개해 주었다. "아직 날이 밝을 때 술
을 마실 수 있는 것이 이 일의 장점." "맞아요." 건배.

시케 씨는 꽃다발을 받을 때마다 1주년이구나, 하는
실감이 커진다고 했다. 속속 도착하는 사람과 꽃다발에
둘러싸여 "와아, 정말 힘들었지만 1년이 지났네요! 1년
간 버텼다!" 하며 미소는 점점 커졌다.

4월 XX일

요코하마의 한 공원에서 이스미 씨 가족, 친구와 꽃놀이. 아직 어린아이가 두 명 있어서 움직이기 힘든 이스미 씨가 다른 참가자와 의논해서 마실 것 등을 준비하라는 지령을 내렸다. 금방 올 수 있는 사람은 아무도 없어서 혼자 역 앞에서 장을 보았다. 이미 와인과 안줏거리를 사 두었지만 부족한 것을 보충하기 위해 마트로 갔다. 전갱이새끼 초밥, 세일 중인 자몽주스, 탄산수, 스파클링 화이트와인을 샀다. 내 사정을 속속들이 아는 사람들은 할인 스티커가 붙어 있는 것을 가져가도 오히려 잘했다며 칭찬해 준다.

양손에 짐을 들고 끙끙거리며 꽃놀이 장소에 도착하니 떨어진 벚꽃 잎으로 땅이 새하얗게 물들어 있었다. 올해 마지막 꽃놀이다.

4월 XX일

10년 정도 전에 같은 직장에 다니던 J코 씨의 초대를 받아 진보초에서 열린 구리하라 야스시 씨의 토크 이벤트에 갔다. 장소는 재계약이 되지 않아 퇴사한 전전 회사 근처였다. 만약 나를 괴롭히던 H씨를 우연히 만나면 어쩌지 싶어서 멀리 돌아갔다.

이벤트에는 출판 관계자가 많았다. 주목받는 신인, 재쇄 찍은 이야기, 새로운 기획, 새로운 경지. 구리하라 씨가 지닌 가능성과 미래, 희망이 팔딱팔딱 뛰는 공간에 관계자들은 눈을 반짝이며 앉아 있다. 나는 그냥 앉아만 있다.

다카라즈카의 남자 배역처럼 코트를 나부끼며 씩씩하게 나타난 J코 씨가 구리하라 씨의 담당 편집자에게 정중하게 인사를 받는다. 나도 그 담당자를 알았지만 지금 아무것도 하지 않는 내가 무능하다는 생각에 압도당하고 있었으므로 잠자코 있었다. J코 씨는 나를 보더니 크게 손을 흔들었다. "어머 잘 지내? 오랜만이야!" 엑스 재팬 요시키가 입을 것 같은 코트네요, 라고 하자 "이런 옷을 입고 겁을 주거든." 하며 익살을 떨었다. 부서 이동으로 힘들었다는 J코 씨와 만나는 것은 2년 만이다. 잘 지내는 것 같아서 안심이 되어 나도 힘이 났다.

4월 XX일

　헬로워크에 갔다. 첫 인정일. 핑크색 다운재킷이 시야 끝을 스쳐갔다. 그 50대 여자가 있었다. 동기님, 아직도 다운재킷을 안 벗으셨네요.

　돌아가는 길에 근처 도토루에 들어가 퇴직금 청구 신청을 위한 서류를 정리해서 우편으로 보냈다. 정직원 퇴직은 여러 가지로 손이 많이 가는구나.

4월 XX일

　소에 씨와 술자리. "다음 직장이 정해지지도 않았는데 잘도 그만뒀네. 나는 무서워서 못할 거야. 뭐, 그야 프리랜서인 내가 이런 말 하는 것도 이상하지만." 건배도 적절히 섞어가며 걱정해 준다. 나도 무서워, 하지만 더 오래 있으면 우울증에 걸릴 것 같았고, 걸리면 일을 못 찾을 테고, 병원 다닐 돈도 없고. 약간 짜증난 말투로 답하자 소에 씨는 "그랬겠지. 그래, 그래." 하고 납득한 듯 맥주를 마셨다. 그리고 "나도 이런 일을 하고 있으니 일이 끊기면 청소 일이라도 해야 해."라며 내가 전전 회사 계약 갱신이 되지 않았을 때와 똑같은 말을 했다.

4월 XX일

    구마모토熊本에서 대지진이 일어났다. 딱 그 시간에 동일본 대지진 때 여진을 같이 견딘 자와 씨, 메이코 씨와 술을 마시고 있었다. 인터넷으로 구마모토의 상황을 확인하는 것을 멈출 수가 없다. 그날로 다시 되돌아간 듯하다. 자와 씨, 메이코 씨는 오카야마와 도쿄 왕복 생활을 하므로 곧 도쿄에 재해가 일어난다면 또 다시 함께해 줄 가능성은 매우 낮다. 친구는 대부분 가족이 있으니 무슨 일이 일어나면 나도 끼워 달라고 할 수가 없다. 어떻게 하지?

4월 XX일

자주 가는 곱창꼬치구이집 점원이 독립하여 새로운
가게를 오픈했다고 해서 자와 씨, 메이코, 시로 군과 건
배하러 갔다. 서예 사범인 메이코가 나무판에 메뉴를
하나하나 썼다고 한다. 기분 좋은 미소를 지어 주는 점
장은 아직 일에 익숙하지 않은 연상의 점원을 도와줘
가며 언제나처럼 손님을 접대하고 조리를 한다. 마카로
니 샐러드의 맛도 레몬 사와*의 농도도 예전 가게 그대
로다. 가게는 저녁 6시가 되자 거의 만석이다. 예전 가
게 때부터 알았던 단골손님, 근처에 사는 노부부나 퇴
근하는 길에 들른 회사원, 주류양판점 영업사원으로 보
이는 남성들이 ㄷ자 모양의 카운터를 둘러싸고 앉았다.
구석에서 즐겁게 술을 마시고 있는데 건너편에 고타ㄱ

* 증류주에 감귤류 등의 산미가 있는 주스를 섞은 칵테일의 일종

一夕가 혼자 있었다. 말을 걸어 나란히 앉아 함께 마셨
다. SNS를 거치지 않고 우연히 만난 게 기쁘다며 고타
는 연신 싱글벙글했다.

4월 XX일

작년에 월간지 일로 신세를 진 일러스트레이터의 개인전에 갔다. 메이코와 돈을 모아서 축하 선물로 스파클링 와인을 샀다. 새 작품은 훌륭했다. 자신의 페이스를 흐트러뜨리지 않고 그리는 느낌. 천천히 감상한 후 전시회장에 있던 친구와 밥을 먹고 돌아가기로. 잔에 찰랑찰랑 따른 와인을 연거푸 비우다 보니 술자리가 되었다. 결국은 근처에서 자리를 옮겨 또 마시다가 만취한 채 막차로 집에 갔다. 취하면 브레이크가 고장 나서 뭐 어때, 하며 지갑에 있는 돈을 전부 쓰게 된다. 이대로는 안 된다. 어디를 어떻게 걸었는지 모르지만 만취해도 만 보 이상 걸어서 돌아갔으니 술값 예산을 엄수하도록 자기 최면이라도 걸어 놓은 것일까.

4월 XX일

　퇴직금 지급 불가 안내장이 날아왔다. 납입 개월 수가 12개월에 못 미치면 지급되지 않는다고 한다. 퇴직금 공제수첩을 보니 계약 성립 날짜가 수습 기간 이후다. 3개월이 모자라다. 회사에서는 "1년이면 조금밖에 안 나오지만 본인이 청구해야 나오니까 꼭 해."라는 소리를 들었다. 조금이라도 받고 싶었다.

5월 XX일

    미야기현에 있는 긴카산金華山 신사로 1박 2일 참배 여행을 떠났다. 주로 사슴을 수렵하는 시케 씨에게 "야생 사슴과 원숭이가 서식하는 섬이 있는데, 거기에 금전 운에 좋다는 신사가 있어요." 라고 이야기하자 한 사진가가 "그러지 말고 한번 가 보세요." 하고 말했다. 그 말에 등을 떠밀리듯, 시케 씨가 자기 차로 가자고 해서 진짜 가게 되었다. 나와는 띠동갑인 아는 동생도 가고 싶다고 했다. 일을 마친 시케 씨가 밤새 운전해서 그곳으로 향했다.

    아직 쌀쌀한 도호쿠의 봄, 게다가 가랑비가 내렸기에 정말 춥다. 날씨는 꾸물거렸지만 섬으로 들어가는 배는 문제없이 출항하고 있어서 예정대로 도착. 섬에는 기념품 가게도 없이 달랑 신사뿐이었다. 신사 뒤에 있는 산

길을 걸어 보았지만 산을 봐도 바다를 봐도 안개로 막혀 있다. 주차장에 사슴이 있었다. "이 애 눈이 이상해. 머리가 어떻게 된 거 아닐까?" 시케 씨가 "너 더럽구나."라고 사슴에게 말을 걸었다. 사슴은 미동도 하지 않은 채 오줌을 쌌다.

이 날은 1년 치 제사가 시작되는 날로, 방문자는 매년 찾아오는 신앙심이 깊은 사람들뿐이었다. 자주 오는 손님에게 인사를 마친 신주神主● 한 사람과 이런저런 이야기를 나눈다. 상근이라는 그 신주는 한 달에 한 번 섬을 나가 휴가를 보낸다고 한다. 편의점에 가는 게 기대돼요, 라고 말했다.

참배를 마치고 부적 등이 들어 있는 금전 운을 높이는 세트 같은 것을 받았다. 언제쯤 효과가 나타나는 걸까? 우리 셋 중 누구에게 금전 운이 먼저 찾아오는지 주시해야겠다.

● 신사를 관리하는 사람

5월 XX일

　요리연구가 HA씨의 사무실에 갔다. 언제나 웃는 얼굴이고 성격도 쾌활해서 만나기만 해도 마음이 따끈따끈해지는 사람. 오늘은 처음으로 주먹밥과 소면을 대접해 주었다. 딱 한 입 먹었는데 두 가지 모두 맛있다고 큰 소리로 소리치고 싶어지는 맛. 주먹밥의 밥은 세이유西友*에서 값싼 쌀을 사서 평범하게 밥통으로 지었다고 한다. 약간의 비결로 이렇게까지 맛이 달라지나? 소면은 아무튼 잘 헹구는 게 중요하단다. 너무 싼 소면은 씻는 힘을 견디지 못하고 끊어지므로 좋지 않다고. 동석한 일러스트레이터는 음식을 맛보더니 "와, 소름 돋았다." 하며 놀랐다. 좋은 반응이다.

* 일본의 슈퍼마켓 체인점

5월 XX일

　백수의 생일. 저녁에 친구와 한잔 하고 나서 밤에는 콘서트에 갈 예정. 하지만 낮에는 계획이 없다. 약속 장소 근처 공원에서 혼자서 술을 마시기로 했다. 수상한 느낌이 나지 않도록 병이 아니라 캔 스파클링 와인을 골랐다. 병의 모양 때문에 돌려 따는 캔 커피를 마시는 것처럼 보일 것이다.

　공원에 있는 사람은 아이와 엄마, 할머니뿐이었다. 노는 아이들을 보다가, 스마트폰도 보다가 약속 시간이 오기를 기다리고 있는데 초등학생 여자아이가 말을 걸어왔다. "저기요. 물어보고 싶은 게 있는데 괜찮아요?" 엇, 뭔데? 두근두근하면서도 냉정하게 뭐냐고 되물었다. "5시가 되면 나오는 음악 있잖아요? 그거 나왔는지 아세요?" 대답할 수 있는 질문이다. 방금 전에 울렸다고 하자 여자아이는 남동생으로 보이는 남자아이에게 "노래 나왔대. 5시 지났어. 집에 갈 시간이야!"라고 소리치더니 나에게 감사합니다, 라고 말하고 둘은 달려갔다. 지나가는 초등학생에게는 노는 아이를 기다리는 아이 엄마로 보이는 걸까.

콘서트가 끝난 후 친구들이 서프라이즈 파티를 해 주었다. 케이크와 맥주와 꽃다발. 좋아하는 사람에게 둘러싸여 사진 촬영. 이런 날이 오다니 최고다.

6월 XX일

　요리사에서 요리연구가가 된 지인의 사무실에 갔다. 사무실은 어느 정도 촬영할 수 있는 충분한 기자재와 공간이 마련되어 있고 인테리어에서 좋은 센스를 엿볼 수 있다. "왠지 이런 일도 들어와서……." 지인은 인기 고급 토스터 광고를 보여 주었다. 레시피도 제공한다고 한다. 대단해!

6월 XX일

얼마 전 응모한 웹매거진 편집부 면접을 보러 갔다. 20대 후반으로 보이는 인사부 여직원과 20대 중반으로 보이는 편집부 여직원이 면접관이었다. 이력서와 직무 경력서, 과제인 기획서를 제출한다. 인사부 여성이 "경력을 설명해 주세요."라고 말했다. 이럴 때 나를 어필하는 것은 정말 자신이 없다.

6월 XX일

    2차 면접. 1차 면접에서 만난 두 사람과 또 한 명, 30대 후반으로 보이는 여성이 나타났다. 그 사람은 "예전에 A회사에 계시지 않았어요? 얼굴 알아요."라고 말했다. 나는 월간지 편집부에 있었지만 당시 그 사람은 비즈니스서적 편집부에 있었다고 한다. 몇개월 전에 이 웹매거진의 편집장이 되었다고. 인사부 여성이 "다시 한번 경력을 설명해 주세요."라고 말했다. 2차 면접에서 떨어졌다.

7월 1일

헬로워크에 갔다. 두 번째 인정일이다. 핑크색 다운 재킷 여성은 없다. 이제 여름이라 옷이 바뀌어서 못 알아봤는지도 모른다. 아니면 취직했을지도 모르고.

돌아가는 길에 백화점 지하 식품관에 들렀다. 퇴근하는 길에 들러 초밥 반값 세일을 기다리는 사람들. 이것도 반값이 되는지 점원에게 확인하는 사람들. 타임세일 시간 전까지는 매대에 물건이 가득 진열되어 있지만, 그 시간이 지나면 눈 깜짝할 사이에 없어진다. 불황의 플래시몹이 눈앞에서 벌어진다. 나도 반값으로 할인된 생선을 샀다.

7월 XX일

　몇 년 전 페인트칠하는 걸 도와 준 친구 집으로 갔다. 조만간 집을 부수기로 해서 송별회가 개최되었다. 가재도구는 이미 옮겨서 집 안은 텅 비어 있었다. 해가 떨어진 정원에서 집의 조명에 의지하여 감독님이 바비큐를 하고 있다. 친구가 만들어온 요리, 감독님이 구운 생선, 고기, 채소, 야키소바를 먹으면서 모인 사람들과 근황 등을 이야기한다.

　이 집에 사는 동안 친구는 결혼을 한 후 해외로 이주했다. 하우스메이트인 그녀의 친구는 애인과 헤어졌다. 감독님 아래서 작업을 도왔던 그의 아들은 독립했다. "혼자서 하는 게 더 마음 편해서 좋다니까." 감독님은 허세를 부렸다.

7월 XX일

웹 매거진 편집장과 점심. 그녀는 A사 후에 비즈니스 도서를 전문으로 하는 출판사에 들어갔지만 종이와 제본에 신경 쓴 책을 만들고 싶은 마음에 독립해서 자기 회사를 세웠다고. 웹 매거진의 편집 일은 외주로 하고 그 외에 글도 쓰고 있다고 한다. 이상적이다. "한 가지 일만 하면 재미없잖아요."라고 말하며 그녀는 웃었다. 동감이다. 이상을 현실로 구현하는 사람 앞에 있으니, 왠지 내가 없어져도 될 사람 같은 기분이 들었다.

8월 1일

    헬로워크에 갔다. 세 번째 인정일이었다. 기본수당 액수가 줄었다. 노동자의 평균 급여액 변동 상황에 따라 매년 8월 1일에 조정이 된다고 한다. 그러니 금액이 줄었다는 것은 일본 노동자의 평균 수입이 줄었다는 말이다.

    외출하는 김에 볼일을 마치려고 미용실에 갔다. 머리를 감겨 주는 여자 직원이 모발이 건강하다고 칭찬해 주었다. 최근 몇 달, 직접 만든 비누로 머리도 감고 얼굴과 몸도 씻는다. 20대 쯤에 실천하던 절약 기술을 부활시켰다. 하나에 700엔 하는 비누와 거의 같은 것을 직접 만들면 그 10~20퍼센트 정도의 재료비로 만들 수 있다. 백수이기에 절약하는 건 당연하지만, 그렇다고 풀이 죽어서 굳이 조악한 것을 사며 '나는 가난하니까'라고 스스로를 타이르며 살고 싶지는 않다.

8월 XX일

　고쇼ㄱ쇼 씨와 돈가스를 먹으러 갔다. 2011년 3월
11일 이후로 5년 반 만에 처음이다.

　고쇼 씨가 이 가게에 데려온 이유를 알 것 같았다. 손
님도 점원도 많고 카운터 안도 바깥도 활기가 넘치는데
시끄럽지 않았다. 양쪽 모두 조용하게 자기 일에 충실
한 것이다. 거기에 항상 20명 정도가 줄을 섰다고 해야
할지, ㄷ자 형태의 카운터를 둘러싸듯 놓인 자리에 앉
아서 기다리는데 압박감이 없다. 지금껏 경험한 적 없
는 돈가스집이다. 맥주와 로스돈가스 정식을 주문했다.
맛있다. 오랜만에 술자리가 아닌 외식을 하니 낭비한
다는 생각에 들떴다. 맛이 몸과 마음에 스며든다. 돈가
스집인데 따뜻한 물에 몸을 담그는 기분이 든다고 고쇼
씨는 말했다. 마치 목욕재계 같다.

8월 31일

헬로워크에 갔다. 마지막 인정일이다. 아무 일도 없었던 건 아니지만 하루하루가 지났고, 정기적인 일이 없다. 본격적으로 백수가 되었다. 눈앞에 정기적인 일이 없는 사태는 처음이다. 1년 전 직원이 한 말이 떠오른다. "이유는 모르겠지만, 들어갈 시기를 놓치면 좀처럼 들어가기가 힘들어지더라고요." 정말 그렇네요. 그러고 보니 헬로워크 앞에서 '일을 구하는 사람을 찾는다던' 보험회사 사람도 결국 내게 말을 걸지 않게 되었다.

9월 1일

    도쿄역 바로 근처에서 개최된 음악 이벤트. 계속 보고 싶었던 프레드 프리스Fred Frith가 일본에 왔다. 게다가 무료다. 일반 응모를 통해 모여서 연습을 해온 사람들이 그의 지휘 아래 연주를 한다. 마침 그들이 연습하던 시기에 거의 집에 있었으니 나도 해 볼 걸 그랬나.

    그리고 보니 헬로워크나 친구와 약속이 없는 한 집 주변에서 벗어난 적이 없다. 외출하면 돈이 드니까. 여름 햇볕은 별로 쬐지도 못했는데 가을이 왔다.

9월 XX일

　단발성 일이 몇개 들어왔다. '구세주'는 과거에 같이 일을 한 분들로 예전에 재계약이 안 되었을 때도 일을 맡겨 주었다. 내가 무슨 일을 잘하는지 알기 때문에 의뢰하는 일은 충분히 실력 발휘를 할 수 있다. 일종의 신뢰관계가 있다고 생각하면 자못 기쁘다.

　야마시타 히카루 씨의 취재로 나가사키長崎현으로 출장을 떠났다. 비행기를 타는 것도 낯선 도시에 가는 것도 오랜만이라 두근두근. 히카루 씨가 댁에 묵게 해 주어서, 일인데도 2박 3일 일정을 여름 휴가처럼 보냈다.

9월 XX일

친척이 소유하고 있는 빈집을 보러 갔다. 지방으로 이주해서 월세를 조금만 들이고 살며 일하는 것도 나쁘지 않겠다 싶었는데 안이한 생각이었다. 집 자체는 괜찮았지만 마을에서 너무 멀리 떨어져 있다. 온천과 가깝다지만 가장 가까운 마트까지 차로 한 시간은 걸린다. 고독이 지나치다. 게다가 계속 이어지는 구불구불한 언덕길은 겨울에는 못 다닐 터이다.

장롱면허인 나 대신 익숙지 않은 길을 왕복 여섯 시간 가까이 운전하고 돌아와 지쳐서 뻗은 엄마를 보고 슬슬 장롱면허를 탈출할 때인 것 같다는 생각이 들었다. 하지만 도쿄에서는 운전할 기회가 없다. 꿈을 깨고 도쿄 집으로 돌아갔다.

9월 XX일

세상에, 꼭 하고 싶던 일이 연이어 굴러들어왔다. P
사에 다닐 무렵 신세를 진 작가가 한 밴드의 책을 편집
하는데 도와주지 않겠느냐고 제안해왔다. 엄청 기쁘다.
어디 회사에라도 다니고 있었다면 거절해야만 했기에
취직하지 않아서 다행이었다.

또 하나는 화장품 통신판매 홍보글 쓰기. 지인이 작
가를 찾고 있다고 해서 하토야마 씨가 소개해 주었다.
엄청 고마웠다. 좋아하는 화장품 회사여서 기쁜 마음으
로 미팅에 나갔다.

9월 XX일

할머니가 돌아가셨다. 취재와 미팅이 연이어 있었기에 장례식에만 참여하기로 했다. 야간버스로 가던 날, 한 밴드의 콘서트가 있어서 딱 맞춰 보러 갈 수 있었다.

공연이 끝난 후 로비에서 몇 년 만에 지인인 구니ク二씨 부부를 만나 버스 출발 시각까지 맥주를 마셨다. 서로 근황을 이야기했다. 지금 하는 일 이야기를 하자 구니 씨는 "대단해. 열심히 하고 있네."라고 말했다. 구니 씨의 상냥한 분위기에 풀어진 탓인지, 집에 돌아가기 직전이어서 그랬는지 무심결에 가족들에게 돈을 빌린 이야기를 하고 말았다. 금액을 말하자 구니 씨는 "어머나, 귀여워라." 하며 미소 지었다.

9월 XX일

교정 일을 맡았다. 담당 편집자와 함께 점심을 먹으러 나갔는데 언제나 가던 정식집이 문을 닫았다. 잘돼도 사장의 건강을 이유로 없어지는 가게가 많다. 눈에 띈 가게로 적당히 들어갔는데 애쓰는 것 같기는 했지만 맛도 분위기도 별로였다. 식후에 상온의 캔 커피를 받았지만 체인점 계열의 카페에 들렀다.

밤에는 술친구의 결혼 파티에 갔다. 결혼한 지 10주년을 기념하여 개최한 파티로, 올해 딱 열 살이 되는 딸과 함께 축하하는 자리였다. 너무도 좋은 모임. 2차에도 얼굴을 내밀고 막차로 돌아왔다. 올해는 몇주년 기념 축하가 많다. 가는 수밖에 없다.

10월 XX일

책 화보를 촬영하는 날이다. 디자이너, 헤어 메이크업 담당자, 사진 작가와 처음 만났다. 의상은 밴드 멤버가 직접 고른다. 모든 촬영과 디자인을 계속 같은 스태프와 해 왔기에 나 외에는 서로 잘 아는 사이라고 한다.

현장은 내내 편안한 분위기였고 스태프 모두가 자신의 역할을 지나치게 주장하는 일 없이 그때그때 요구하는 일을 하면서도, 동시에 자신이 하고 싶은 일을 하고 있었다. 혼자서 작업하는 일이 많고, 스태프 여럿과 현장에서 함께 일하는 경우가 거의 없었기에 팀이라도 된 듯한 분위기에 진심으로 즐거웠다.

10월 XX일

    대담을 취재했다. 총 다섯 시간 정도의 장기전이었지만, 내용이 무척 재미있었기에 좋은 피로감이 일었다. 취재는 일이지만 가끔, 어느 순간 일을 넘어서 버린 기분이 들 때가 있는데 오늘이 바로 그랬다. 좋은 일이다. 내 역할, 해야 하는 작업은 이제부터다.

10월 XX일

　취재 음성 데이터를 글로 옮겼다. 심야에 몇번이고 시간과 기억, 의식의 희미함을 이야기하는 과거의 목소리를 들으니 시간의 축이 흐릿해져서 꿈속에 있는 것 아닌가 하고 무서워진다.

10월 XX일

　가니시 군, 이스미 씨와 술자리. 더치페이였지만 늦게 합류했기에 그만큼 빼 주었다. 가게를 나온 후 막차까지 한 시간 반 정도 남아서 편의점에서 각자 술을 사서 주변에 서서 마셨다. 우리처럼 서서 마시는 회사원들이 여러 무리가 있어서 길 위 분위기는 화기애애했다.

10월 XX일

모 문학 신인상 수상식에 갔다. 오랜만에 만난 사람들이 지금 무슨 일을 하느냐고 묻기에 프리랜서라고 대답한다. 편리한 직함이다. 정기적인 일을 맡지 못하는 내 경우, 백수에 가까운 프리랜서다. "정말? 그럼 일 좀 부탁해야겠네." 너무 듣고 싶어서 목구멍까지 차오른 말을 편집자인 가기カギ 씨가 해 주었다.

상을 주최하는 출판사에서 20대에 아르바이트를 했기에 회장을 어슬렁거리다 보니 옛날에 알았던 사원들이 반갑다며 말을 걸어 주었다. 먼 친척을 만나는 기분이었다. 아까우니까 꽃 좀 가져가라며, 꽃다발 두 개를 받았다. 오래 전 지인을 만나면 순식간에 그때의 기분으로 돌아가곤 한다.

11월 1일

　건강보험, 구민세, 연금 지급 상담. 작년에 정직원이었기 때문에 올해 내는 금액이 어느 정도 되리라고 각오는 하고 있었지만 예상을 뛰어넘은 고액이었다. 청구서에 적힌 돈은 도저히 낼 수가 없다. 몇만 엔의 세금과 사회보험을 내 손으로 내려니 평소의 내 생활비가 얼마나 검소한지를 통감했다.

　각각의 직원과 상담한 후 모두 분할 지급하기로 했지만 그래도 여유는 전혀 없다. 저금한 돈은 이미 바닥을 보였다. 가족에게 빌린 돈은 이미 갚았지만, 세금과 사회보험을 내기 위해 결국 같은 금액을 또 빌렸다.

가기 씨가 새로운 일을 의뢰했다. 다만 아직 기획은
통과되지 않았고 결정되는 대로 움직여 주기를 바란다
는 것이었다. 기획 내용을 봤을 때 이건 바로 결정되지
않을까? 하는 생각이 들었다. 다음 달 일이 정해진 거
나 다름없다. 좋아!

내 머리를 해 주는 미용실 10주년 기념 파티에 갔다.
심플하게 장식된 미용실은 멋진 분위기로 변해 있었다.
모인 사람은 50명 정도. 모두 단골손님인 걸까? 축하
선물로 스파클링 와인을 가져갔다. 세련된 케이터링에
인기 비스트로에 의뢰했다는 와인이 늘어서 있다. 그런
데도 참가비는 1,000엔이었다. 이래도 괜찮은가? 맛도
있겠다. 술은 쭉쭉 들어간다.

마침 그 자리에 있던 나보다 어린 지인에게 가게를

10년 이어간다는 건 대단하네요, 하고 말하자 "같은 일을 지속하고 있으니 단노 씨도 기념 파티 하면 어때요?"란다. 직장은 달라져도 같은 일을 하고 있었다. 그렇게 이력서와 직무경력서를 써대고도 몰랐다.

11월 XX일

미야카와 씨의 새 사무실에 갔다. 9월에 취재한 기사
가 게재된 잡지를 받고 앞으로 할 기획을 논의한 후 근
처 술집에서 술을 마셨다. 사무실 근처 구제 옷가게에
서 샀다는 코트의 가격 맞추기 퀴즈에 배려한답시고 비
싼 가격을 불렀더니 "그렇게 비싼 건 안 사지!"라고 혼
났다.

11월 XX일

밴드의 부도칸武道館*콘서트. 굿즈 판매 부스에서 책도 팔고 있었다. 공연이 끝난 후 출판사 담당자가 담담히 말했다. "그렇게 고생해서 만든 책이 티셔츠랑 같은 가격이네요." 그 심정이 이해가 갔다.

* 도쿄에 있는 대형 실내 경기장

11월 XX일

가기 씨에게 기획이 통과되지 않았다는 연락이 왔다.
충격이다. 기대했던 일이 하나 사라졌다. 지난달까지
했던 일은 두 달 후에 입금되기 때문에 당장 생활비가
부족하다. 구민세, 건강보험, 연금도 무겁게 짓누른다.
어떻게 하지? 언제가 될지는 모르지만 여러 개 기획을
앞두고 있어서 지금은 가능하면 취직하고 싶지 않다.
해 보고 싶었지만 해 본 적 없는 아르바이트 같은 건 어
떨까? 빨간펜 선생님을 해 보고 싶다. 인터넷으로 알아
보니 이미 과거의 유물이 된 지 오래였다.

연말이니 연말연시에 할 수 있는 단기 아르바이트는
어떨까? 우체국에서 연하장 분류를 해 보고 싶다. 이
일은 지금까지도 계속 이어지고 있고, 심지어 100명을
모집하는 곳도 있다. 헬로워크에서 근처 우체국을 소개

받았지만 마감되었다고 해서 다른 우체국에 응모했다.
면접은 다음 주다.

12월 1일

무기 군이 불러서 P사의 편집부 동창회에 갔다. 그런데 지금도 P사에서 일하는 사람은 너무 바빠서 한 명도 출석하지 못했다. 올 수 있었던 사람은 디자이너와 영업 일을 위탁받았던 광고회사 같은 외부 관계자들. 근황을 묻자 그 광고회사도 망해서 모두 새로운 직장에 있다고 한다. 모두 거친 풍파에 시달리고 있구나.

12월 XX일

　고민한 끝에 J코 씨에게 돈을 빌리기로 했다. 당장 수입이 없어서 아무리 생각해도 돈이 부족했다. 가족이 아닌 사람에게 돈을 빌리는 건 처음이었다. J코 씨와의 관계가 틀어질지도 모른다. 4개월 후에 입금되면 확실히 갚을 테니 괜찮아, 관계가 틀어지는 일은 없을 거야. 오해가 없도록 사전에 메모해서 전화했다. "오, 잘 지내? 무슨 일이야?" 밝은 목소리의 J코 씨에게 돈을 빌려달라는 말을 꺼냈다. J코 씨는 아주 잠깐 침묵한 후 "좋아."라고 답했다. 메일로도 괜찮으니 일단 차용증을 보내라는 J코 씨의 목소리에서 당황스러움을 감추려는 듯한 떨림이 전해졌다. 곧바로 메일을 보냈다.

　J코 씨의 답장은 다른 사람에게 돈을 빌려주는 게 처음이라 꽤 용기가 필요했다, 아이를 키우는 자신에게도

적은 금액은 아니므로 꼭 받을 거야, 하는 메시지와 함께 "어떻게든 살아가는 거지 뭐(웃음)."라고 썼다.

　이제야 내가 J코 씨에게 상상 이상으로 엄청난 일을 저지른 것만 같아 눈물이 났다. 그래서 J코 씨에게 돈을 빌린 일은, 반대로 내게 버팀목이 생긴 것 같은 기분이 들었다.

12월 XX일

우체국 면접을 봤다. 아르바이트 모집 깃발이 여럿 나부끼고 있다. 학생으로 보이는 여자아이 다음이 내 순서였다. "지금 무슨 일을 하고 계세요?"라는 질문에 찾고 있는 중이라고 대답하니 서류에 있었던 '무직'에 동그라미를 쳤다. 며칠 후 업무 시간표와 급여입금서류 등이 도착했다. 업무 시간표를 보고 시급을 계산하니 다음 달 구민세, 건강보험, 연금을 내면 끝이라는 사실을 알았다. 이건 뭐 근로 봉사잖아.

12월 XX일

친구 가오루薰 군이 음악을 담당했다는 고故 나나가와 유키오蜷川 幸雄가 기획하고 원안을 쓴 무대를 보러 갔다. 평일 낮 시간이라 회장인 사이타마 슈퍼아레나스ーパーアリーナ에 온 사람은 출연자의 친척으로 보이는 연배뿐이었지만, 패션이나 태도에서 미술이나 연극 감상에 익숙한 분위기를 엿볼 수 있었다. 무대가 끝난 후 꼬치구이집에서 친구들과 술을 마신다. 연말연시는 어떻게 지내느냐는 화제에 "우체국에서 아르바이트 한다."고 대답하니 모두 약간 놀라는 눈치다. "나도 고등학교 때 한 적 있지."라고 가오루 군이 말했다. "너나 할 것 없이 고용해 주는 곳이 있어서 그 녀석도 크리스마스 때마다 가곤 했다."*고 쓴 것은 부코스키다.

* 찰스 부코스키의 《우체국》이라는 작품에 나오는 구절인 것으로 추정

12월 XX일

편집한 책을 음악 이벤트의 굿즈 판매장에서 팔아 주었다. 그 책 일러스트를 그린 이케 짱이 소속한 밴드가 이벤트에 출연하기 때문이다. 판매장에서 판매를 하며 사인을 해 준 이케 짱 덕분에 열 권이 팔렸다.

몇 사람과 뒤풀이 장소까지 걸어갔다. 케이스가 없어서 기타를 어깨에 멘 이케 짱이 테쓰앤토모テツandトモ의 〈왜일까〉라는 곡의 코드를 치면서 밤길을 앞장선다. 좋은 하루다.

12월 XX일

우체국 아르바이트를 시작했다. 업무에 임하기 전에 해서는 안 되는 일을 설명하는 DVD를 시청했다. 헬로 워크 같다. 구두 테스트를 받은 후 업무에 돌입. 나는 내근이고, 하는 일은 분류 작업이다. 전단지에는 100명을 모집한다고 했지만 이날 모인 사람은 10명이 되지 않았고 남녀가 섞여 있었다. 연령대는 폭넓어서, 청소년에서 고령자까지 있었다. 전 세대가 모여 연하장을 분류하는 것이다. 작년에도 여기에서 아르바이트했다는 60대 후반의 할머니는 작년보다는 인원 수가 적다고 말했다.

단기 아르바이트용 휴게소는 회의실 같은 곳이었다. 그곳은 영화 〈고역열차〉에 등장하는 버스 이동 장면을 떠올리게 했다. 친해질까 말까 하는 사이에 끝나는 동료, 고참과 신입의 거리감. 단기 아르바이트 특유의 분위기인 건가? 휴게 공간에는 우마이봉 등의 과자나 목캔디가 준비되어 있어서 각자 좋아하는 것을 먹었다. 할머니만 딱히 누구에게랄 것 없이 말을 걸며 분위기 메이커를 자처했다. 그 덕에 무미건조했던 분위기가 조금은 편해졌다.

휴식 시간은 근무 일정표에 따라 시간과 횟수가 엄격히 정해져 있다. 계속 서서 하는 일은 학생 시절에 아르바이트를 한 이후 처음이었고 이런 공장 같은 근무 형태는 더더욱 처음이다. 사원의 지시로 눈앞에 있는 산더미 같은 연하장을 분류했다. 단조로운 일을 반복하는 동안 점차 내 나름의 요령이나 규칙 같은 것이 생겨서 약간은 성취감을 맛보고 있다.

12월 XX일

　친구인 아오 짱이 자기 집에서 노래방 기계로 노래를 부르자고 초대했다. 회사의 사장에게 노래방 기계 세트를 빌렸다고 한다. 아오 짱 집은 아르바이트하는 우체국에서 걸어서 20분 정도의 거리였기에 도보로 향한다. 오랜만에 서서 일해서인지 피로가 가시지 않아 집에 들어가자마자 드러누웠다. 중년인 나도 이렇게 피곤한데 그 할머니는 얼마나 피곤할까? 내가 노인이 되면 얼마나 일할 수 있을까. 미디어는 앞으로 인류가 AI에 일을 빼앗길 것이라고 떠들어대지만 연하장 분류는 못 맡길 것 같다.

　"이제 두 명만 더 오면 돼요." 시로 군이 직접 만든 요리를 먹는 동안 한 명이 도착했다. 친척이 내 고향 가까운 곳에 산다는 것을 알고 "할머니의 그 사투리가 귀여워서 너무 좋아요."라며 내 얼굴을 빤히 쳐다본다. 사투리를 써보라는 눈빛이다. "아직 마음을 허락하지 못해."라고 말하니 포기했다.

30분 후 또 한 사람이 왔다. 건배하자마자 "있잖아. 나, 레게 DJ랑 사귀기 시작했어!" 레게 DJ는 DJ만으로는 먹고 살 수 없으니 아르바이트를 하고 있다고 한다. "수도회사 검침 일을 해. 자기 페이스로 일할 수 있으니 빨리 끝낼 수 있고 보수도 나쁘지 않대. 이 일이 입소문으로 퍼지고 있는 모양이야." 구속시간=근무시간이 자기 나름이라 좋겠다.

모두 모이자 시로 군이 가라오케를 세팅하기 시작했다. 연말이라 아파트 주민들이 집을 비웠기에 노래를 불러도 괜찮다. 가라오케 특유의 마이크 에코가 그저 재미있어서 모두 마구 부른다. 이 가라오케 기계를 사용해서 자택 방문 술집 케이터링 서비스를 하자는 말이 나와 흥분하는 동안 모두 술이 잔뜩 취했다. 친구들은 막차로 돌아갔지만 나는 그대로 잠들어 버려서 다음 날 숙취를 안고 우체국에 출근했다. 토할 것 같았지만 겨우 무사히 마쳤다.

올해의 마지막 날

아르바이트 마지막 날이다. 우체국을 나와서 그대로 시노 짱 부부 집으로 갔다. 최근 몇 년, 친구들과 모여서 홍백가합전을 보는 것이 연례행사가 되었다.

역 건물에서 산 초밥을 시노 짱 부부에게 전하고 캔맥주로 건배했다. 6일 연속 근무의 피로로 뒹굴뒹굴 누워 있으니 다른 친구들이 도착했다. 나도 모르게 누운 채로 맞이했네. 미안, 미안. 이유를 말하자 어린아이 두 명을 키우는 지에 짱이 "나도 내년에는 우체국에서 알바할까?" 했다. 시노 짱이 눈을 동그랗게 뜨고 놀란 표정으로 지에 짱을 쳐다보았다. "큰 애가 유치원에 다니기 시작했고 뭔가 일이 하고 싶어. 아, 일하고 싶어." 지에 짱은 누구와도 눈을 마주치지 않은 채 말했다. 돈이 이유가 아닌 거다.

홍백가합전이 시작되고 TV에 나오는 사람들에 대해서 다들 이러쿵저러쿵 마음껏 떠든다. 술을 마신다. 친구가 고향 납세ふるさと 納税*로 받아서 가져온 털게, 도시코시소바, 전골 등을 먹었다. 순식간에 홍백가합전이 끝나고 시노 짱이 〈SMAP×SMAP〉 마지막 회를 조금만 보자고 했다. 근데 결국 끝까지 봤다. 새해 인사를 하고 시노 짱 부부에게 배웅을 받으며 모두 함께 집을 나왔다.

---

* 납세자가 거주지와 다른 지방자치단체에 납세할 경우 일정 한도 내에서 세금 공제 또는 환급을 받을 수 있는 제도

새해 첫날

　야간버스로 고향에 왔다. 버스 터미널로 이어지는 역의 연결 통로에는 외국인 관광객이 드문드문 보일 뿐이었다. 타는 곳에도 인적이 없었다.

　차 안은 중년 남성이 많아서 거의 만석이었다. 3열 배치라 커튼이 달려 있는데 대각선 앞에 앉은 남자가 자기만 커튼을 치지 않고 두리번두리번 주변을 구경하고 있었다. 기분 나쁘다. 소등 직후 빈자리로 이동했다.

　차 안에서 음주는 금지되어 있는데 그 남자는 맥주를 마시고 있다. 어둠에 적응된 눈으로 나를 쳐다볼까봐 계속 신경을 쓰고 있었는데, 나를 보는 것은 아니었다. 그렇다고 커튼을 치지도 않고 남자는 그저 주변 모습을 두리번거리며 구경했다. 나는 그만 잠들고 말았다. 이른 아침, 버스 정류장이 가까워지자 차내등이 켜졌다.

남성은 여전히 커튼을 치지 않았고 일어나 있었다. 그
가 자다 깼는지 안 잤는지는 알 수 없다.

버스에서 내렸지만 바늘로 찌르는 듯한 북국의 추위
는 없었다. 오히려 김이 샐 정도로 따뜻하다. 작년에 할
머니가 돌아가셔서 집에 정월 장식은 하지 않았지만 엄
마는 조니雜煮*와 니시메煮しめ**를 만들고 있었다. 도시
코시소바를 먹을 때 튀김은 안 남았느냐고 물으니 여동
생 아이들이 다 먹어버렸다고 했다.

* 일본식 떡국
** 조림

1월 XX일

고향집 창고를 정리했다. 연말과 백중에 쓰는 물건, 언제 누가 입었는지 모를 옷가지 등 할머니가 무엇이든 쟁여두는 사람이라 눈 뜨고 보기 힘든 상태겠구나, 했는데 생각 외로 말끔했다. 엄마가 먼저 대충 정리한 것이다. 내용물을 확인하지 않은 상자나 싸둔 채로 쓰지 않는 식기를 확인하고 버릴 것을 더 버린다. 나와 여동생은 마스크를 쓰고 작업했지만 황토색 먼지가 일어 금방 더러워졌다. 증조할머니가 사용했다는 무쇠 냄비와 식기가 나왔다. 골동품이라고 해야 할지, 아무튼 오래된 것을 좋아하지 않는다면 여기에 있는 것은 잡동사니일 뿐이므로 보관할 장소가 없으면 주저 없이 버렸다.

1월 XX일

 이번 달부터 주 2~3일 아르바이트를 하기로 했다.
모아 둔 돈도 없고 비정기 수입으로 생활하는 지금 매
달 정기 수입이 없으면 월세를 낼 수 없다. 나눠 내기로
한 건강보험료도 아직 많이 남았다. 연금 청구서도 이
미 나왔다. 아르바이트를 하는 것도, 직원별로 업무 시
간표를 짜서 일하는 것도 학생 시절 이후 처음이니 20
년 만인가? 동료는 여성으로 거의 20대 후반이다. 동년
배는 몇 명. 모두 메인으로 하는 일이 있고 아르바이트
는 보조적인 느낌이다. 물론 나도 그렇지만 다른 점은
대부분이 부모님과 함께 산다는 것.

1월 XX일

　미야카와 씨와 미팅을 했다. 야마시타 히카루 씨의
책 구성을 하게 되었다. 제목은 《아르바이트를 그만두
는 학교》. 아르바이트를 시작한 사람이 이런 책을 맡다
니 아이러니하다. 훗.

2월 XX일

　HA씨와 진행하는 서적 기획 촬영일. 두 시간 정도
만에 무사히 종료. 자료를 받았기에 일시 귀가한 후 간
다神田의 오가와마치小川町에 갔다. 작년에 도와준 책의
뒤풀이다. 스태프뿐 아니라 멤버 본인도 참여하고 싶다
고 해서 화려한 연회가 되었다. 디자이너와 멤버가 술
을 마시는 것은 4년 정도 만이라고. 밤은 아직 끝날 기
미가 보이지 않는다.

2월 XX일

변칙적인 시간표로 일하는 것에 조금씩 익숙해지고
있다. 재미있는 동료도 많아서 즐겁다. 오전 중 바깥 공
기도 기분이 좋다. 다음 달에는 책의 오케이교를 앞두
고 있기에 근무일을 줄였는데 상사에게 주의를 받았다.
면접 시에 비정기적으로 바빠지는 달이 있다고 말했었
는데 "금시초문이네요. 이런 일이 계속되면 다시 생각
해 봐야겠어요."라는 말을 들었는데 혹시 이거 그만두
라는 소린가?

2월 XX일

　눈이 내리는 후추府中에 갔다. 기본소득을 연구하는 사회학자와 미팅이 있어서다. 몇년 만에 만나는 것일까? 기획이 구체화되지 못한 채 멈춘 상태였다. 준교수准教授•가 되어도 소녀 같은 미소는 여전해서 공백을 느낄 새 없이 이야기를 나눴다.

• 한국의 조교수에 해당하는 직책

3월 XX일

　모모モモ 짱에게 초대받아 시모키타자와下北沢의 작은 라이브하우스에 갔다. 모모 짱은 지금 돕고 있는 일 관계로 무가지를 곁들인 라이브 기획을 한다고 한다. "도쿄 교외에서 30명 정도 모을 수 있는 뮤지션을 좀처럼 찾을 수가 없어서. 아는 사람 있어?" 회장 대여료는 들지 않지만 출연료는 티켓 수익금으로 충당해야 하므로 "30명이 안 모이면 출연자가 힘들 거야." 오늘은 상황을 파악하려는 목적도 있었다고 한다. 카페 같은 분위기의 공연장에 솔로 싱어송라이터가 두 명 출연했고 손님은 우리 둘을 포함해 5명. 30명을 모으기란 좀처럼 쉽지 않은 모양이다.

　나보다 10살 가까이 어린 모모 짱은 두 아이의 엄마다. 혼자서 외출하려면 아이를 봐 줄 사람을 찾아야 하지만 오늘은 늦게까지 괜찮다고 한다.

공연이 끝난 후 근처 오키나와 요리점에 들어간다. "최근에 무슨 영화 봤어요?"라고 묻는 모모 짱에게 아마존Amazon 프라임 무료 영화랑 드라마밖에 안 봤다고 답했다. 절약과 엔터테인먼트를 양립시키는 것, 지금으로서는 최선의 방법이다. 연금, 사회보험 등 각종 지출로 등골이 휜다고 했더니 "우리도 힘들어요. 사는 집이 부모님 댁이라 버티는 거죠." 모모 짱이 어떤 반응을 보이는지 궁금했던 걸까? 나는 J코 씨에게 돈을 빌린 이야기를 했다. 모모 짱은 놀란 눈치였다. 눈을 동그랗게 뜨고는 담배를 피웠다. "당연히 갚을 거야. 그 사람과의 관계에 지장을 주고 싶지 않아. 사실 이미 지장을 줬는지도 모르지만 신뢰는 잃고 싶지 않아." 나는 모모 짱을 계속 쳐다보면서 말했다. J코 씨의 메일을 떠올리자 숨이 끊어질 것 같았지만 나는 계속 말했다. "돈은 빌리는 사람보다 빌려 주는 사람이 더 용기가 필요하더라고." 당연한 소리지만. "그래도 그런 사람이 있어서 다행이네요."라고 모모 짱은 말했다. 사실 나도 그렇게 생각했다. J코 씨 같은 사람이 있어서 다행이지? 확인하고 싶었던가, 나는.

3월 XX일

고바야시 가쓰요小林 カツ代의 평전 출간 기념 토크콘
서트. HA씨가 등장하는 귀한 기회. 일러스트레이터인
이케 짱, 여자친구도 함께. 이 날은 구리하라 씨의 수상
식이었지만 아무래도 시간에 맞춰 갈 수 없는 거리여서
나중에 다시 축하해 주기로 했다.

이벤트 종료 후, 근처 술집에서 셋이 밥을 먹었다.
"재미있는 사람들은 재능도 범위가 넓네요."라고 이케
짱이 말했다. "아마도 가쓰요 선생님에게 요리는 일부
겠죠. 데즈카 오사무한테 만화 그리라는 소리를 듣다
니…… 저 소름 돋았어요." HA씨가 들으면 싱글벙글
하겠다.

3월 xx일

일과 관련된 미팅이 계속 들어왔다. 모두 단발성이지만 이걸로 반년은 버틸 수 있을 것 같다.

3월 XX일

　시부야의 술집에서 좌담회 녹화가 있었다. 술이 공짜라고 참가자 중 두 명이 계속 술을 시킨다. 경비로 감당이 되려나? 머릿속으로 술값을 계산하면서 녹화를 진행하고, 어느 정도 내용을 얻을 수 있을 것 같아 종료했다. 예정보다 약간 일찍 끝난 녹화, 예산을 약간 초과한 금액으로 무사히 마쳤다. 무엇보다 즐거운 좌담회여서 기뻤다.

3월 XX일

약속한 날이다. 인터넷뱅킹으로 J코 씨의 은행 계좌
에 돈을 보낸 다음 문자를 보냈다. 곧장 답변이 왔다.
"돈이 들어왔다는 것보다 네가 제대로 돈을 갚는 사
람이라는 게 기뻐서 왠지 눈물이 나려고 해." 참 죄송스
러운 짓을 했다. "그래도 돈을 빌려 주는 건 보통 일이
아니더라고, 역시. 괜히 걱정되고 말이야." 하고 J코 씨
는 평소 말투로 이어 말했다. 상환 기념으로 술이라도
마시자고, 나는 평소처럼 뻔뻔하게 대답했다.

옮긴이 박제이

출판 기획·번역자. 고려대학교 문예창작학과를 졸업하고 이화여자대학교 통역번역대학원에서 한일전공 번역과 석사 학위를 취득했다.
옮긴 책으로는 소설 《너의 이름은.》《만주야 상점 옆 예쁜 집》, 에세이 《책 읽다가 이혼할 뻔》《싫지만 싫지만은 않은》《고양이》, 인문서 《공부의 철학》《수학 공부법》《악이란 무엇인가》《포스트 자본주의》《원전 프로파간다》 등 다수가 있다.

돈은 필요하지만 사표를 냈어

초판 1쇄 인쇄	2018년 9월 7일
초판 1쇄 발행	2018년 9월 13일

지은이	단노 미유키
옮긴이	박제이

펴낸이	신민식

편집인	최연순

펴낸곳	도서출판 지식여행
출판등록	제2-3151호

주 소	서울시 마포구 토정로222 한국출판콘텐츠센터 319호
전 화	02-332-1122
팩 스	02-333-6225
이메일	jkp2005@hanmail.net
홈페이지	www.sirubooks.com

인쇄 · 제본	(주)상지사 P&B
종이	월드페이퍼(주)

ISBN 978-89-6109-496-2 03830

이 도서의 국립중앙도서관 출판예정도서목록(CIP)은 서지정보유통지원시스템 홈페이지(http://seoji.nl.go.kr)와 국가자료공동목록시스템(http://www.nl.go.kr/kolisnet)에서 이용하실 수 있습니다.(CIP제어번호: CIP2018028671)